MACBETH

Argraffiad cyntaf 2017

ISBN 978-191-1584-00-1

Cyhoeddwyd gan Gyhoeddiadau Barddas gyda chymorth ariannol Cyngor Llyfrau Cymru.

Argraffwyd gan Y Lolfa, Talybont.

Cyhoeddwyd y gyfrol hon i gyd-fynd â chynhyrchiad
Theatr Genedlaethol Cymru o *Macbeth,* 2017
(mewn partneriaeth â Cadw a chyda cefnogaeth
gan Chapter).

William Shakespeare

Macbeth

CYFIEITHIAD GAN
GWYN THOMAS

Cyhoeddiadau
barddas

RHAGAIR

Roeddwn i, ar ran y Theatr Genedlaethol, eisoes wedi dechrau archwilio'r syniad o lwyfannu trasiedi fawr Shakespeare pan ddigwyddodd Gwyn Thomas grybwyll ar ddiwedd sgwrs ar faes yr Eisteddfod Genedlaethol ym Meifod yn 2015 bod ganddo gyfieithiad newydd o *Macbeth* wedi ei gwblhau o'i law ei hun, a bod 'croeso i'r Theatr Genedlaethol ei gael o!' Oedd o wedi bod mewn cysylltiad â rhyw bwerau goruwchnaturiol, neu ai cyd-ddigwyddiad llwyr oedd hyn? O wybod yn iawn am ddiddordeb Gwyn mewn rhyw bethau cyfrin – yn wir, ei ddarlithoedd ar wreiddiau mytholegol y Mabinogion oedd y rhai a'm swynodd fwyaf yn ystod fy nghyfnod yn fyfyriwr yn Adran Gymraeg Coleg Prifysgol Bangor ddiwedd y 1980au – mae'n haws gen i rywsut gredu'r cyntaf o'r rhain! Tristwch o'r mwyaf yw na chafodd Gwyn fyw i weld ei gyfieithiad yn cael ei lwyfannu. Mwynheais y cyfle prin a gefais i sgwrsio efo fo am y gwaith, ac rwyf mor falch fy mod, yn ystod ei waeledd olaf, wedi gallu o leiaf roi ar ddeall iddo ein bod yn bwriadu llwyfannu'r ddrama. Er nad yw hwn yn waith llenyddol o'i ben a'i bastwn ef yn llwyr, hyderaf yr ystyrir y trosiad yma yn un arall eto fyth o'r perlau hynny a adawodd Gwyn Thomas ar ei ôl, a chyflwynwn y cynhyrchiad hwn ohono er cof annwyl amdano.

Un o elfennau mwyaf diddorol y ddrama, y soniodd Gwyn yn frwd amdani yn ein cyfarfod, yw'r elfen oruwchnaturiol; yr ymwneud â gwrachod, yr ocwlt, a rhyw hen fyd paganaidd. Rwy'n weddol hyderus fod Shakespeare wedi bwriadu codi ofn ar ei gynulleidfa gyda'r elfen hon. Wedi imi benderfynu llwyfannu'r gwaith yn un o'n cestyll canoloesol niferus, ac ymweld ag un neu ddau ar bnawniau oer a gwlyb wrth iddi ddechrau nosi, daeth yn amlwg i mi fod y rhain yn llefydd delfrydol i godi ofn. A dyma feddwl, waeth beth am y diffyg cysur o gymharu â theatrau modern, clyd, y byddai llwyfannu'r ddrama hon yn nhywyllwch nos ganol gaeaf rhwng muriau oer un o'r cestyll hynny yn creu cyd-destun diddorol ac yn fodd i werthfawrogi'r gwaith (a'r castell hynafol ei hun) o'r newydd.

Ond, beth bynnag am yr elfennau goruwchnaturiol a hanesyddol, beth yw neges *Macbeth* i ni heddiw? Dyma un o'r dramâu mwyaf adnabyddus drwy'r byd i gyd, a phe baem yn gofyn i unrhyw un enwi drama gan Shakespeare, rwy'n siŵr y byddai *Macbeth* yn y tri uchaf o leiaf, os nad ar y brig. Pe bai rhywun yn holi wedyn am ei phrif themâu, gallai'r rhan fwyaf ohonom, siŵr o fod, enwi o leiaf ddwy yn weddol hyderus – uchelgais a grym. Pan fo Macbeth yn ildio i lwybr anghyfiawn er mwyn cyrraedd ei nod neu wireddu ei uchelgais, fe ddaw canlyniadau enbyd i'w bobl ac i'w wlad. Ond yng ngolwg Macbeth, wrth gwrs – er iddo bendilio ar y cychwyn rhwng gweithredu a pheidio â gweithredu o un foment i'r nesaf – y mae'n credu ei fod yn gwneud y peth iawn; neu o leiaf, mai dyma ei haeddiant; dyma ei ffawd. Mae gwladweinwyr cyffelyb yn yr oes hon, sy'n gwbl argyhoeddedig eu bod yn 'gwneud y peth iawn' – er nad ydynt, hyd y gwyddom, wedi eu swyno gan wrachod – gan ymddangos yn ddi-ildio, yn ddidrugaredd, ac yn greulon ar adegau, ac mae i'w gweithredoedd ganlyniadau pellgyrhaeddol – enbyd hyd yn oed – fel yn achos Alban Macbeth. Ond yn wahanol i Alban yr Unfed Ganrif ar Ddeg, mae'r cyfrifoldeb pennaf dros ein tynged ni heddiw yn aros gyda ni, bob un, gan mai ni, yn y pen draw, sy'n rhoi i'n gwleidyddion yr hawl i'n cynrychioli, a'r grym i weithredu.

Arwel Gruffydd
Cyfarwyddwr Artistig Theatr Genedlaethol Cymru

Cast cynhyrchiad Theatr Genedlaethol Cymru 2017:

Gareth John Bale	BANQUO / MENTEITH / NEGESYDD
Ffion Dafis	YR ARGLWYDDES MACBETH / GWRACH
Siôn Eifion	DONALBAIN / SIWARD IFANC / GWRACH / LLOFRUDD
Owain Gwynn	MACDUFF / CAPTEN
Phylip Harries	ANGUS / PORTHOR / LLOFRUDD / SIWARD
Gwenllian Higginson	YR ARGLWYDDES MACDUFF / GWREIGDDA / GWRACH
Richard Lynch	MACBETH
Aled Pugh	LENNOX
Martin Thomas	ROSS
Llion Williams	DUNCAN / MEDDYG / HEN ŴR / LLOFRUDD
Tomos Wyn	MALCOLM / LLOFRUDD

Chwaraeir rhannau eraill gan gast cymunedol sy'n cynnwys:

Andrew Bartholomew
Bedwyr Hedd Bowen
Owain Llŷr Brodrick
Chloe Casey
Martha Prydwen Davies

Gethin Day
Gwenllian Evans
Gill Griffiths
Mared Gruffydd
Thomas Gunning
Eilir Gwyn
Harvey Hewer
Gabrielle Howell
Abigail Johns

Darren Jones
Iestyn Gwyn Jones
Rhys Jones
Ann Lewis
Georgia Lewis
Megan Lewis
Miriam Powell-Davies
Bob Roberts
Tiger Tingley

* Enwau yn gywir wrth fynd i brint

Tîm Creadigol a Chynhyrchu

Cyfarwyddwr – Arwel Gruffydd
Cynllunydd – Ruth Hall
Cynllunydd Goleuo – Joe Fletcher
Cynllunydd Sain – Dyfan Jones
Cyfarwyddwr Cynorthwyol – Aled Pedrick

Rheolwr Cynhyrchu – Angharad Mair Davies
Rheolwr Llwyfan – Gareth Wyn Roberts
Dirprwy Reolwr Llwyfan – Siwan Fflur Griffiths
Rheolwyr Llwyfan Cynorthwyol – Brynach Higginson, Caryl McQuilling
Rheolwr Llwyfan Technegol – Jason Lye-Phillips
Peiriannydd Sain – Gareth Brierley
Peiriannydd Goleuo – Josie Allen
Cynorthwy-ydd Goleuo – Ffen Evans
Cynorthwy-ydd Cynhyrchu a Goleuo – Joshua Kroon
Goruchwylydd Gwisgoedd – Louise Sturley
Cynorthwy-ydd Gwisgoedd – Angharad Spencer
Hyfforddwr Llais – Nia Lynn
Cyfarwyddwr Ymladd – Tom Jordan
Capten Ymladd – Owain Gwynn
Awdur Sibrwd – Sian Summers
Gweithredydd Sibrwd – Llinos Jones
Cynorthwy-ydd Sibrwd – Sioned Evans
Rheolwr Blaen Tŷ – David Horgan
Rheolwr Blaen Tŷ Cynorthwyol – Gethin Bickerton
Cynhyrchydd Cynorthwyol – Sioned Eleri Morgans
Cymorth Marchnata – Lowri Johnston
Hebryngwr – Osian Edwards

Staff Theatr Genedlaethol Cymru

Angharad Jones Leefe – Cyfarwyddwr Gweithredol
Angharad Mair Davies – Pennaeth Cynhyrchu
Arwel Gruffydd – Cyfarwyddwr Artistig
Ffen Evans – Swyddog Technegol
Fflur Thomas – Cynhyrchydd Cyswllt
Llinos Jones – Swyddog Cyfranogi a Marchnata
Mair Jones – Rheolwr Marchnata a Chyfathrebu
Meinir James – Swyddog Cyllid
Nesta Jones – Swyddog Gweinyddiaeth a Chyllid
Rhian A. Davies – Cynhyrchydd Gweithredol

Dramatis Personae

Duncan, Brenin yr Alban

Ei feibion:
Malcolm
Donalbain

Uchelwyr yr Alban:
Macbeth
Banquo
Macduff
Lennox
Ross
Menteith
Angus
Caithness

Fleance, mab Banquo
Siward, Arglwydd Northumberland, cadfridog lluoedd Lloegr
Siward Ifanc, ei fab
Seyton, swyddog yn gwasanaethu Macbeth
Mab Macduff
Meddyg o Sais
Meddyg o Sgotyn
Porthor
Hen Ŵr
Tri Llofrudd

Yr Arglwyddes Macbeth
Yr Arglwyddes Macduff
Gwreigdda yn tendio ar yr Arglwyddes Macbeth
Hecate
Gwrachod
Drychiolaethau
Arglwyddi, **Swyddogion**, **Gwasanaethyddion**, a **Negeswyr**

Yr Olygfa: Yr Alban; Lloegr

ACT I

Golygfa 1

[*Llain agored. Mellt a tharanau. Daw TAIR GWRACH i mewn.*]

Y WRACH GYNTAF:
> Eto ynghyd, ein tair, pa bryd?
> Yn nh'ranau, mellt, neu law y byd?

YR AIL WRACH:
> Ar ôl yr hwrli-bwrli byr,
> Colli ac ennill y frwydyr.

Y DRYDEDD WRACH:
> Bydd hynny cyn bod machlud haul.

Y WRACH GYNTAF:
> Ym mha le?

YR AIL WRACH:
> Wel, ar y waun.

Y DRYDEDD WRACH:
> Yno i gwrdd â Macbeth.

Y WRACH GYNTAF:
> Rydw i'n dod, Gath Lwyd y Coed!

YR AIL WRACH:
> Crawcia'r broga.

Y DRYDEDD WRACH:
> Cyn bo hir!

Y TAIR:
> Hyll yw'r teg, a theg yw'r hyll;
> Hofran yn yr aflan niwl a'r gwyll.

[*Exeunt*

Golygfa 2

[*Gwersyll gerllaw maes y gad. Clywir alarwm utgorn. Cyferfydd y BRENIN
[DUNCAN], MALCOLM, DONALBAIN, LENNOX, ynghyd â
DILYNWYR, a CHAPTEN sy'n waedlyd ei gyflwr.*]

Y BRENIN DUNCAN:

Pwy ydi'r creadur gwaedlyd yma? A barnu
Wrth ei gyflwr fe all o ddweud y newydd
Diweddaraf am y rhyfel.

MALCOLM:

Y rhingyll ydi-o,
Un fu, fel milwr da a dygn, yn ymladd
I rwystro imi gael fy rhoi mewn carchar.
Sut wyt ti, gyfaill dewr! Dyweda di
Wrth y Brenin sut yr oedd hi yn y drin
Pan ddoist ti oddi yno.

CAPTEN:

Ansicir oedd hi, fel pan fydd dau nofiwr
Wedi blino yn cydio yn ei gilydd
Ac yn difetha'u dawn. Mae gan
Macdonald – y dyn sydd heb drugaredd,
Ac un sy'n addas iawn i fod yn rebel
Gan fod y drygau hynny sydd yn magu
Yn natur dyn yn heidio ynddo fo –
Mae gan hwnnw wŷr traed a marchogion hefyd
O Ynysoedd Heledd; ac roedd Ffawd,
Yn debyg iawn i hwren wrthryfelgar,
Yn gwenu ar ei gweryl melltigedig.
Ond y mae'r cyfan yn rhy wantan
Am fod Macbeth, y gwrol (mor deg y mae
O'n haeddu'r enw hwnnw) yn dirmygu Ffawd,
A chyda'i gledd o'r wain – a hwnnw'n mygu
Wrth ladd yn fan'no'n waedlyd, fel un
Sy'n ffefryn pob gwroldeb – yn naddu llwybyr
Iddo'i hun nes ei fod o
Yn wynebu'r cnaf. 'Wnaeth o ddim ysgwyd llaw
Na dweud ffarwél nes iddo'i agor o
O'i gylla hyd ei geg, a rhoi ei ben
Ar ein rhagfuriau ni.

Y BRENIN DUNCAN:

O gyfaill dewr, ac uchelwr teilwng!

CAPTEN:

Fel o'r lle hwnnw y dechreua'r haul
Droi drachefn, y lle y peidia
Stormydd-dryllio-llongau a tharanau dreng,
Felly o'r ffynhonnell honno
Lle'r oedd cysur fel pe'n dod, daw ymchwydd
O anghysur. A sylwch, Frenin Sgotland,
Sylwch: nid cynt 'bu i gyfiawnder,
Yn arfog gyda dewrder, orfodi'r
Cnafon hyn i'w gwadnu hi i ffwrdd,
Nad dyma fo, sef Brenin Norwy'n
Gweld ei gyfle, a chydag arfau gloywon
A llu o ddynion newydd, yn dechrau
'Mosod eto.

Y BRENIN DUNCAN:

A fu i hynny siomi
Macbeth a Banquo, ein capteiniaid ni?

CAPTEN:

Do, fel y bydd adar to yn siomi eryr,
Neu ysgyfarnog lew. Os dweda' i y gwir
Rhaid imi adrodd eu bod nhw fel gynnau-canon
Wedi eu gorlwytho efo ffrwydron dwbwl,
Felly fe wnaethon nhw ddwbwl-ddyblu
Eu hergydion ar y gelyn. A oedden
Nhw'n bwriadu molchi mewn
Anafiadau myglyd, neu greu Golgotha
Arall dra chofiadwy, alla' i ddim dweud –
Ond rydw-i'n wan. Y mae fy nghlwyfau'n galw'n
Groch am gymorth.

Y BRENIN DUNCAN:

Y mae dy eiriau di
Yn gweddu iti, fel dy glwyfau. A'r ddau
Â blas anrhydedd arnynt. Ewch i nôl
Meddygon ato.
[*Exit CAPTEN, gyda rhai'n ei gynnal. Daw ROSS ac ANGUS i mewn.*]

Pwy ydi'r rhain sy'n dod?

MALCOLM:

Yr Arglwydd teilwng Ross.

LENNOX:

Y fath frys sydd yn ei lygaid!
Fel hyn y dylai rhywun edrych ac yntau
Ar fin sôn am bethau rhyfedd.

ROSS:

Duw gadwo'r Brenin!

Y BRENIN DUNCAN:

O ble y doi di, arglwydd teilwng?

ROSS:

O Frenin mawr, rwy'n dod o Ffeiff,
Lle mae baneri y Norwyaid yn gwawdio'r awyr
Ac fel gwyntyll yn gwneud ein llu ni'n oer.
Norwy ei hun, gyda lluoedd enbyd,
A chyda chymorth y bradwr anffyddlonaf hwnnw,
Yr Arglwydd Cawdor, a ddechreuodd ymosodiad
Hyll-fygythiol, nes i hwnnw sy'n briodfab
I Bellona, yn ei arfwisg, ei wynebu
Ag ymosod tebyg, lafn am lafn,
Braich am fraich ryfelgar, gan ddofi
Ei ysbryd hy. Ac i derfynu, ni
A fu'n fuddugol.

Y BRENIN DUNCAN:

A! Dyma inni wir lawenydd!

ROSS:

A 'nawr mae Sweno, Brenin Norwy, 'n erfyn
Am delerau heddwch, ond 'doeddem ni
Ddim am roi iddo'r hawl i gladdu'i filwyr
Nes iddo dalu, ar Ynys Colmé Sant,
Ddengmil o ddoleri at ein defnydd
Cyffredinol ni.

Y BRENIN DUNCAN:

'Chaiff yr Arglwydd hwnnw, Cawdor, byth eto
Dwyllo'n hymddiriedaeth gu: ewch

A chyhoeddwch ei farwolaeth 'nawr,
Ac â'i hen deitl o, cyferchwch chi Macbeth.

ROSS:
Fe ofala' i fod hyn yn cael ei wneud.

Y BRENIN DUNCAN:
Yr hyn a gollodd o, 'enillodd
Y gŵr o urddas hwnnw, Macbeth.

[Exeunt

Golygfa 3
[*Gwaun. Taranu. Daw'r TAIR GWRACH i mewn.*]

Y WRACH GYNTAF:
Chwaer, ble buost ti?

YR AIL WRACH:
Yn lladd moch.

Y DRYDEDD WRACH:
A phle buost tithau, chwaer?

Y WRACH GYNTAF:
Roedd gan wraig morwr, yn ei harffed, gnau
Ac roedd hi'n cnoi, yn cnoi, yn cnoi –
'Rho rai i mi,' me' fi.
'Dos o'ma'r wrach!' medd hi, y dindrwm grach.
Ei gŵr 'aeth i Aleppo, yn gapten ar y *Teigr*:
Mewn gogor yno'r hwylia' i,
Ac fel llygoden fawr ddi-gwt,
Mi wna'-i, mi wna'-i, mi wna'-i.

YR AIL WRACH:
Mi ro' i iti wynt.

Y WRACH GYNTAF:
Mor ffeind!

Y DRYDEDD WRACH:
A minnau iti wynt arall.

Y WRACH GYNTAF:
Yn fy llaw mae'r gwyntoedd eraill
A phob harbwr lle mae gwynt,

13 MACBETH

A phob cyfeiriad at bob hynt
Sydd ar unrhyw gwmpawd.
Fe'i sugna'-i o fel gwair yn grin:
Cwsg ni ddaw i'w lygaid blin,
I bentis amrant byth heb baid;
Mi fydd o fyw fel gŵr dan raib:
Blin wythnosau, naw gwaith naw,
Dihoeni, nychu wnaiff mewn braw:
Er na ellir colli'i fad,
Storm a'i hyrddia'n ddiymwâd.
Sbïwch chi, beth sydd gen i.

YR AIL WRACH:
Dangos, dangos imi.

Y WRACH GYNTAF:
Yma y mae gen-i fawd
Peilot 'ddrylliwyd ar ei rawd.

[*Sŵn drwm oddi mewn*]

Y DRYDEDD WRACH:
Sŵn drwm sy draw!
Macbeth a ddaw.

Y TAIR:
Negeswyr ffawd ŷm, law yn llaw,
Rhodwyr yma, rhodwyr draw,
Fel hyn yn teithio, teithio:
Tair gwaith i ti, tair gwaith i mi,
A thair gwaith eto: naw i ni.
Y swyn sy wedi'i weindio.

[*Daw MACBETH a BANQUO i mewn*]

MACBETH:
'Welais i'r un dydd mor hyll a theg â hwn.

BANQUO:
Pa mor bell ydi Fforres? Beth ydi'r rhain
Mor wyw, mor wyllt yn eu dilladau,
Fel nad ŷn nhw'n debyg i fodau o'r byd hwn,
Ac eto maen nhw yma? A ydych chi
Yn fyw, neu'n bethau y gall dyn eu holi?

Yr ydych fel pe baech chi yn fy neall
Gan fod pob un ohonoch chi yn rhoi,
A hynny yr un pryd, un bys anafus
Ar ei gwefus fain. Benywod ddylech-chi fod,
Ond eto mae eich barfau yn fy rhwystro
Rhag i mi eich cymryd felly.

MACBETH:

Dywedwch, os gellwch –
Pwy ydych chi?

Y WRACH GYNTAF:

Henffych, Macbeth! Henffych i ti, Arglwydd Glamis!

YR AIL WRACH:

Henffych, Macbeth! Henffych i ti, Arglwydd Cawdor!

Y DRYDEDD WRACH:

Henffych, Macbeth, a fyddi –
Wedi hyn –
Yn Frenin!

BANQUO:

Pam, wrda, y dychryni di ac fel
Pe baet ti'n ofni pethau sydd mor deg yn swnio? –
Yn enw'r gwir, ai ffrwyth dychymyg
Ydych chi; neu a ydi'ch gwedd allanol
Yn un wirioneddol? Yr ydych chi
Yn cyfarch fy nghydymaith da
Â gras yn awr, ac â darogan mawr
Am gael anrhydedd a gobaith bod yn Frenin
Fel ei fod o wedi'i gyfareddu
Gan hyn i gyd. Wrthyf fi, 'dych chi'n dweud dim.
Os gellwch chi archwilio hadau amser,
A dweud pa rawn a dyf, pa rai na thyfith ddim,
Lleferwch wrthyf finnau ynteu, sef
Un nad ydw-i am fegera
Nac am ofni eich casineb chi na'ch ffafr.

Y WRACH GYNTAF:

Henffych!

YR AIL WRACH:

Henffych!

Y DRYDEDD WRACH:
Henffych!

Y WRACH GYNTAF:
Llai na Macbeth, a mwy.

YR AIL WRACH:
Nid mor ddedwydd, eto yn fwy dedwydd.

Y DRYDEDD WRACH:
Fe genhedli di frenhinoedd,
Er na fyddi di yn Frenin.
Felly henffych well, Macbeth a Banquo!

Y WRACH GYNTAF:
Banquo a Macbeth, henffych well!

MACBETH:
Arhoswch, chi lefarwyr dyrys, dwedwch fwy:
'Rôl marw Sinel gwn 'mod i yn Arglwydd Glamis:
Ond sut Cawdor? Mae Cawdor eto'n fyw,
Yn ŵr da ffyniannus; a 'dydi bod
Yn Frenin ddim o fewn i gylch crediniaeth,
Ddim mwy na bod yn Cawdor. Dywedwch chi
O ble y daw eich gwybodaethau cêl,
Neu pam yr ydych yn ein hatal ni
Ar y gweundir diffaith hwn â'r fath gyfarchion
O ddarogan? Rwy'n eich siarsio: dwedwch.

[Diflanna'r GWRACHOD]

BANQUO:
Mae swigod yn y ddaear, fel mewn dŵr –
O'r rheini 'daeth y rhain. I ble y gwnaethon nhw
Ddiflannu?

MACBETH:
I'r awyr, a thoddodd yr hyn a ymddangosai
Mor sylweddol fel anadl i'r gwynt.
O! na baen nhw wedi aros.

BANQUO:
A fu yna yma y fath bethau y soniwn
Ni amdanyn nhw? Neu a fu i ni

Fwyta'r gwraidd gwallgofus sydd
Yn caethiwo'r rheswm?

MACBETH:
Dy blant di yn frenhinoedd.

BANQUO:
Tithau'n Frenin.

MACBETH:
Ac Arglwydd Cawdor hefyd. Onid felly'r oedd hi?

BANQUO:
Yr union dôn a geiriau. Pwy sy yma?

[*Daw ROSS ac ANGUS i mewn*]

ROSS:
Mae'r Brenin wedi derbyn yn llawen, Macbeth,
Y newydd am dy lwyddiant; ac wrth ddarllen
Am dy fenter di wrth ymladd gwrthryfelwyr
Mae ei ryfeddod a'i ganmoliaeth yn ymryson
Pa rai a ddylai fod yn eiddo i ti,
Pa rai yn eiddo iddo fo.
Gan dewi am hyn, a bwrw golwg
Ar weddill yr un diwrnod hwn,
Y mae o yn dy gael di yn rhengoedd
Y Norwyaid dewr, heb arnat ofn
O gwbwl am yr hyn a wnaethost
Ti dy hun, sef delwau dieithr o angau.
Fel cesair trwm fe ddôi'r negeswyr,
Un ar ôl y llall, a phob un
Yn canu'th glodydd di yn amddiffyn
Mawr ei deyrnas, gan eu tywallt yno
Ger ei fron.

ANGUS:
Anfonwyd ni
I roi i ti, gan ein brenhinol feistr,
Ddiolch; ac yn un swydd i dy hebrwng di
I'w ŵydd, nid talu iti yma.

ROSS:
Ac fel ernes o anrhydedd mwy,
Fe barodd imi, ar ei ran, dy alw di yn

Arglwydd Cawdor; a dy gyfarch di
Gyda'r teitl hwn, Arglwydd teilwng!
Am mai dy deitl di yw hwn.

BANQUO: [*O'r naill du*]
Beth, a all y diafol ddweud y gwir?

MACBETH:
Mae Cawdor eto'n fyw: pam rydych chi'n
Fy ngwisgo i mewn dillad benthyg?

ANGUS:
Mae'r un a fu yn Arglwydd Cawdor eto'n fyw,
Ond dan farn drom y mae o'n dwyn
Yr einioes yr haedda fo ei cholli.
A fu iddo fo gynghreirio
Â gwŷr Norwy, neu gefnogi'r gwrthryfelwyr
Â chymorth ac â chyfle, neu a fu iddo
Gyda'r ddwyblaid weithio i ddifetha'i wlad,
'Wn i ddim; ond y mae bradwriaethau mawr,
'Gyffeswyd ac a brofwyd, wedi'i daflu o i lawr.

MACBETH: [*O'r naill du*]
Glamis, ac Arglwydd Cawdor:
Mae'r mwyaf oll i ddod.
[*Wrth ROSS ac ANGUS*]
Diolch ichi am eich trafferth.
[*O'r naill du wrth BANQUO*]
Wyt ti ddim yn gobeithio
Y bydd dy blant di yn frenhinoedd,
Gan i'r rheini a'm gwnaeth i yn Arglwydd Cawdor
Addo iddyn nhw ddim llai?

BANQUO: [*O'r naill du wrth MACBETH*]
O gredu hynny'n sicir, fe allai hynny
Eto wneud i ti ddeisyfu'r goron –
Heblaw bod yn Arglwydd Cawdor.
Ond mae hyn yn rhyfedd: ac yn aml,
I'n hennill i wneud niwed inni
Y mae cyfryngau y tywyllwch
Yn dwedyd gwirioneddau, i'n hennill
Gyda manion cywir, er mwyn ein twyllo ni

I'r canlyniadau dyfnaf.
Gair bach, da chi, gyfeillion.

MACBETH: [*O'r naill du*]
Dywedwyd wrthym ni ddau wir,
Fel dau ragair ffafriol i urddasol weithred
Y pwnc ymerodraethol.
[*Wrthynt hwy*]
– Wyrda, diolch.
[*O'r naill du*]
'All yr anogaeth oruwchnaturiol hon
Ddim bod yn ddrwg, na bod yn dda. Os drwg,
Paham y rhoddodd hi i mi ernes
O lwyddiant, gan ddechrau â gwirionedd?
Yr ydw i yn Arglwydd Cawdor.
Os ydi hynny'n dda, pam rydw i
Yn ildio i'r awgrym hwnnw y mae
Ei ddelwedd erchyll yn codi gwallt fy mhen,
A gwneud i 'nghalon gadarn guro
Wrth f'asennau yn groes i arfer natur?
Mae ofnau y presennol yn llai nag yw
Dychmygion enbyd. Y mae fy meddwl,
Nad ydi'r mwrdwr sydd 'na ynddo
Ond yn lladd dychmygol, yn ysgytian
Fy stad sy'n ddynol ac yn wan
Fel bod gweithredu wedi'i fygu
Gan amcanu, a 'does un dim yn bod
Ond yr hyn nad ydi-o ddim.

BANQUO:
Edrychwch fel mae'n cyfaill yn pensynnu.

MACBETH: [*O'r naill du*]
Os mynna siawns fy ngwneud i'n Frenin, wel,
Fe all siawns roi coron imi, heb
I mi ymyrryd.

BANQUO:
                    Daw anrhydeddau iddo,
Rhai nad ydyn nhw, fel unrhyw ddillad newydd,
Ddim yn ffitio i'w siâp ond trwy i ni eu gwisgo.

MACBETH: [*O'r naill du*]

Doed a ddelo,
Mae awr ac amser trwy'r dydd garwaf un yn pasio.

BANQUO:
Macbeth deilwng, rydym ni
Yn disgwyl yma amdanat.

MACBETH:
Maddeuwch imi. Yr oedd fy meddwl pŵl
Yn cael ei anesmwytho gan bethau anghofiedig.
Wyrda dra charedig, y mae eich llafur chi
Wedi ei gofnodi mewn man y bydda' i,
Bob dydd, yn troi i'w ddarllen ar y ddalen.
Gadwch inni fynd i weld y Brenin.
[*O'r naill du wrth Banquo*]
Meddylia am yr hyn 'ddigwyddodd, a phan
Fydd mwy o gyfle gennym ni –
Ar ôl i ni yn y cyfamser ei ystyried –
Fe wnawn ni sgwrsio'n rhydd â'n gilydd.

BANQUO:
Yn llawen iawn.

MACBETH:
Tan hynny, dyna ddigon. Dowch, gyfeillion.

[*Exeunt*

Golygfa 4
[*Fforres. Ffanffer. Daw'r BRENIN DUNCAN, MALCOLM, DONALBAIN, LENNOX, a GWASANAETHYDDION i mewn.*]

Y BRENIN DUNCAN:
A gafodd Cawdor ei ddienyddio?
A ydi'r rhai y rhoed y cyfrifoldeb am hynny
Arnynt wedi dod yn ôl yn awr?

MALCOLM:
Fy arglwydd,
'Dydyn nhw ddim yma eto. Ond
Fe gefais air ag un a'i gwelodd o yn marw:

Dywedodd iddo fo'n agored iawn
Gyffesu'i frad, gan erfyn pardwn eich Mawrhydi,
Ac arddangos edifeirwch dwfn.
'Fu dim byd yn ei fywyd o i gyd
Mor deilwng ohono fo â'i ymado; bu farw
Fel un a fu'n ymarfer ei farwolaeth,
I fwrw ymaith y peth drutaf ganddo
Fel pe bai hynny'n ddim o bwys.

Y BRENIN DUNCAN:

'Does yna'r un gelfyddyd
'All ganfod tro y meddwl yn yr wyneb.
Yr oedd o'n uchelwr y bu i mi
Lwyr ymddiried ynddo.
[*Daw MACBETH, BANQUO, ROSS ac ANGUS i mewn*]
O, gyfaill mwyaf teilwng,
Roedd pechod fy niffyg diolch i yn pwyso
Arna'-i'n drwm hyd yn oed yn awr.
Rwyt ti mor bell ymlaen, fel bod adain
Chwimaf cydnabyddiaeth yn araf
I dy ddal. Da fyddai iti fod
Yn llai dy haeddiant, fel y gallai
Cyfartaledd tâl a diolchgarwch
Fod yn eiddo imi. Hyn yn unig 'ellir ei lefaru:
Mwy ydi d'haeddiant nag y gall
Y cyfan oll ei dalu.

MACBETH:

Y mae'r gwasanaeth a'r teyrngarwch sydd
Yn ddyled arna' i, o'u gwneud, yn dâl digonol.
Rhan eich Mawrhydi ydi derbyn ein dyletswydd ni;
Ac mae dyletswydd arnom ni i'ch gorsedd chi
A'ch gwlad, eich plant a'ch gweinidogion
Sy'n gwneud yr hyn y dylen nhw, trwy wneud
Pob dim i ddiogelu'ch cariad a'ch anrhydedd.

Y BRENIN DUNCAN:

Croeso calon.
Yr ydw i wedi dechrau ar y gwaith
O dy blannu di, ac fe lafuria' i
I dy wneud di yn llawn tyfiant.

Yr urddasol Banquo, 'dydi dy haeddiant di'n
Ddim llai, a 'ddylet tithau chwaith ddim bod
Yn llai dy gydnabyddiaeth am ei wneud.
Gad imi dy gofleidio, a dy ddal
Di wrth fy nghalon.

BANQUO:
Ac os tyfa'-i yno,
Chi fydd biau y cynhaeaf.

Y BRENIN DUNCAN:
Mae fy llawenydd i yn llawn,
Mae'n foethus yn ei lawnder, yn ceisio'i guddio'i hun
Yn nefnynnau gofid. –
Feibion a pherthnasau,
Arglwyddi, a chithau y mae'ch llefydd yn nesaf ataf,
Fe wyddoch chi ein bod ni am sefydlu
Ein hystad ar ein mab hynaf, Malcolm,
Y byddwn ni'n ei enwi, o hyn allan,
Yn Dywysog Cumberland; ni ddylai
Yr anrhydedd hwn ei ddyrchafu
O yn unig, am y caiff
Nodweddion uchelwriaeth, fel y sêr,
Ddisgleirio ar bob un sy'n haeddu hynny.
Oddi yma fe awn ni i Inverness,
A rhwymer ni yn dynnach yn eich dyled.

MACBETH:
Gwaith beichus ydi'r hyn nad ydi-o'n
Cael ei wneud i chi. Ac fe a' i
Fy hunan yn negesydd, a gwneud clyw
Fy ngwraig yn llawen gyda'r sôn
Am eich dyfodiad; felly'n ostyngedig
Fe ddweda' i da b'och.

Y BRENIN DUNCAN:
                              Fy Nghawdor gwiw!

MACBETH: [*O'r naill du*]
Tywysog Cumberland, dyna imi ris
Y bydd yn rhaid imi gwympo arni
Neu ynteu neidio drosti, am ei bod hi

Ar fy ffordd. Y sêr, o cuddiwch chi
Eich tanau; na fydded i oleuni weld
Fy nyheadau du a dyfnion i.
Y llygad, caea di rhag gweld y llaw;
Ond boed i'r hyn y mae y llygad yn ofni
Ei weld, ar ôl iddo ddigwydd, fodoli.

[*Exit*

Y BRENIN DUNCAN:
Y gwirioneddol deilwng Banquo; mae o
Mor llawn o ddewrder, ac yn ei foliant o
Rydw innau'n cael fy mhorthi: mae hyn i mi
Yn wledd. A gadwch inni ddilyn yr un
Y mae ei ofal wedi mynd o'n blaen
I drefnu croeso inni.
Câr heb ei ail ydi o i ni.

[*Sain utgyrn. Exeunt*

Golygfa 5

[*Inverness. Castell Macbeth. Daw GWRAIG MACBETH i mewn, ar ei phen ei hun, gyda llythyr.*]

YR ARGLWYDDES MACBETH: [*Yn darllen*]
'Fe ddaethant i 'nghyfarfod i yn nydd llwyddiant; a chefais i ar ddeall, trwy'r adroddiadau mwyaf perffaith, fod ynddyn nhw wybodaeth fwy na meidrol. A minnau ar dân eisio eu holi nhw ymhellach, fe droeson nhw eu hunain yn awyr, a diflannu iddo. Tra 'mod i'n sefyll, wedi ymgolli yn y rhyfeddod hwn, daeth negeswyr oddi wrth y Brenin, gan fy nghyfarch i fel "Arglwydd Cawdor", y teitl, cyn hyn, a roddodd y Chwiorydd Dreng i mi, gan fy nghyfeirio i at amser oedd i ddod gyda'r geiriau, "Henffych, yr un a fydd yn Frenin!" Meddyliais mai peth da fyddai imi adael iti wybod hyn, fy nghymar anwylaf mewn mawredd, fel na fyddet ti'n colli dy gyfran o lawenydd trwy fod heb wybod am y mawredd sy'n cael ei addo iti. Cadw hyn yn dy galon, a ffarwél.'

Glamis, rwyt ti yn hynny'n barod, a Cawdor,
Ac fe fyddi di yr hyn 'addawyd iti.
Ond mae gen-i ofn dy natur di;

Y mae'n rhy llawn o laeth tynerwch dynol
I gipio'r ffordd agosaf. Fe ddymunet
Fod yn fawr, a 'dwyt ti ddim yn ddi-
Uchelgais, ond heb y clefyd hwnnw a ddylai
Ganlyn hynny. Y mawredd hwnnw 'fynnet ti,
Fe'i mynni mewn modd sanctaidd; heb fod yn strywgar;
Ac eto mynni, yn anghyfiawn, ennill.
Glamis fawr, fe fynnet ti, yr hyn sy'n gweiddi
'Fel hyn rhaid iti wneud, os am ei gael,'
A hynny'n beth yr ofni di ei wneud,
Yn fwy nag wyt ti yn dymuno ei ddad-wneud.
Tyrd yma, tyrd ar frys, fel y galla' i
Dywallt f'ysbryd yn dy glust, a chwipio
Ag eofndra 'nhafod y cwbwl oll
Sydd yn dy rwystro di rhag y cylch aur
Y mae ffawd a help goruwchnaturiol
Fel pe baen nhw am fynnu dy goroni di.
[*Daw NEGESYDD i mewn*]
Pa newyddion sy gen ti?

NEGESYDD:

Daw'r Brenin yma heno.

YR ARGLWYDDES MACBETH:

Yr wyt ti'n ynfyd i ddywedyd hyn.
Ydi dy feistr di ddim gydag o?
Pe bai o, fe fyddai wedi anfon gair
I beri inni baratoi.

NEGESYDD:

A rhyngu'ch bodd, mae hyn yn wir. Y mae
Ein harglwydd ni yn dod. Fe gafodd un
O 'nghymdeithion i y blaen arno,
Ac yntau bron â marw ar ôl colli'i wynt,
'Doedd ganddo fo fawr mwy na digon
I lefaru'i neges.

YR ARGLWYDDES MACBETH:

        Tendiwch arno;
Mae'n dod â newydd pwysig inni.

                            [*Exit NEGESYDD*

Mae'r gigfran honno'i hun yn gryg sy'n crawcian
Am ddyfodiad angheuol Duncan dan furiau
'Nghaerau i. Dowch, chi'r ysbrydion hynny
Sy'n gweini ar feddyliau marwol: yma
Dadrywiwch fi, a llenwch fi o 'nghorun
Hyd fy modiau yn gyforiog lawn
O'r creulondeb mwyaf erchyll. Perwch
Chi dewychu 'ngwaed, a chau'r mynediad
A'r tramwyad i drugaredd, fel na bo
I unrhyw ysgogiadau o edifeiriol
Natur siglo 'mwriad mwyaf 'sgeler i,
Na chadw heddwch rhwng hynny a'i gyflawni.
Dowch at fy mronnau i sy'n wraig, a ffeirio
Fy llaeth i am fustl, chi weinidogion
Llofruddiaethau, ble bynnag yn eich amgylchiadau
Di-weld yr ydych chi yn gweini ar
Ddrygioni natur. Tyrd, ddudew nos,
Gorchuddia di dy hun ym mwg tywyllaf
Uffern, fel na wêl hi – fy nghyllell lem –
Yr archoll mae'n ei pheri, ac fel na sbecia'r
Nefoedd trwy gwrlid y tywyllwch du i weiddi,
'Atal, atal!'
[*Daw MACBETH i mewn*]
Glamis fawr, a Chawdor deilwng,
A mwy na'r ddau trwy yr 'henffych well'
Ddaw wedyn! Dy lythyrau a'm trosglwyddodd i
Tu hwnt i'r presennol anwybodus hwn,
A theimlaf fi'r dyfodol yn yr ennyd hon.

MACBETH:
F'anwylaf un. Daw Duncan yma heno.

YR ARGLWYDDES MACBETH:
A phryd yr aiff o o'ma?

MACBETH:
                Yfory, 'nôl ei fwriad.

YR ARGLWYDDES MACBETH:
O, 'wêl yr haul mo'r fory hwnnw byth!
Y mae dy wyneb di, fy Arglwydd, fel llyfr
Lle dichon dynion ddarllen pethau rhyfedd.

I dwyllo yr amserau, rhaid i ti
Ymddangos yn weddus i'r amserau.
Boed croeso yn dy lygaid, dy law, dy dafod:
Edrycha di fel blodyn bach diniwed,
Ond bydd di y sarff honno sydd odano.
Rhaid i ni ddarparu ar gyfer
Yr un sydd yn dod yma. Fe gei di
Roi mater mawr y noson hon
Yn fy ngofal i; ac fe roddith hyn
I'n nosau ac i'n dyddiau oll, y rhai
Sydd eto i ddod, yn gyfan gwbwl,
Feistrolaeth ac awdurdod llwyr, didrwbwl.

MACBETH:

Fe gawn ni air am hyn ymhellach.

YR ARGLWYDDES MACBETH:

Ond cadw di dy olwg ar i fyny'n glir.
Mae newid gwedd bob amser – y mae hyn yn wir –
Yn peri ofni. Gad di y gweddill oll i mi.

[*Exeunt*

Golygfa 6

[*O flaen porth castell Macbeth. Sawl offeryn obo a ffaglau. Daw'r BRENIN
DUNCAN, MALCOLM, DONALBAIN, BANQUO, LENNOX,
MACDUFF, ROSS, ANGUS, a CHANLYNWYR i mewn.*]

Y BRENIN DUNCAN:

Mae safle'r castell hwn yn un dymunol.
Mae'r awyr fywiog yma'n ei chymeradwyo'i hun
Yn beraidd i'n synhwyrau tyner.

BANQUO:

Y mae'r ymwelydd haf, y wennol ddu,
Sy' â'i chynefin mewn eglwysi, yn cytuno –
Trwy nythu yma – fod anadl y nef
Yn perarogli yn gariadus yma.
'Does dim bargod, ffris, na bwtres,

Na chongol fach fanteisiol nad ydi
Yr aderyn hwn wedi cweirio'i
Wely crog a'i grud-cenhedlu yma.
Ble bynnag y mae'r rhain yn magu,
Ac yn byw a bod, fe sylwais i
Fod yr awyr yno'n dyner.

[*Daw'r ARGLWYDDES MACBETH i mewn*]

Y BRENIN DUNCAN:

Sbïwch, sbïwch ar ein gwesteiwraig anrhydeddus!
Mae'r cariad, sy'n ein canlyn ni,
Yn drafferthus inni weithiau,
Ond eto rydym ni yn diolch
Amdano fel fel yr ydym ni
Yn diolch am bob cariad. A thrwy hyn
Yr ydw i'n eich dysgu chi i ddweud,
'Diolch i Dduw' wrthyf fi am eich trafferth,
A diolch i minnau am roi ichi'r drafferth.

YR ARGLWYDDES MACBETH:

Ein gwasanaeth ni i gyd – petaem ni
Yn ei wneud o ddwywaith drosodd
Ym mhob manylyn, gan ddyblu hynny wedyn –
Gwasanaeth gwael a thruan fyddai
O'i gymharu â'r anrhydeddau dwfn
A helaeth hynny y mae'ch Mawrhydi
Yn eu llwytho ar ein tŷ. Ac am
Yr anrhydeddau gynt, a'r rhai diweddar hyn
A bentyrrir arnyn nhw, bodlonwn ni
I fod i chi'n feudwyaid.

Y BRENIN DUNCAN:

Ble mae
Yr Arglwydd Cawdor? Fe ddaethom wrth ei sodlau
Gan fwriadu trefnu pethau iddo;
Ond y mae o'n farchog da, a bu
Ei gariad mawr – llym fel ei sbardun – o gymorth
Iddo i gyrraedd adref o'n blaenau ni.
Westeiwraig deg iawn ac urddasol,
Dy wahoddedig di ydym ni heno.

YR ARGLWYDDES MACBETH:
Mae gan eich gweision chi bob amser
Fanylion am eu gweision, amdanyn nhw eu hunain,
A'r hyn sy'n eiddo iddyn nhw,
I roi eu cyfrif ichi pan fynno eich Mawrhydi,
Fel bod, bob amser, gownt o'ch eiddo chi.

Y BRENIN DUNCAN:
Rho dy law i mi.
[*Yn gafael yn ei llaw*]
                    Tywysa fi
At ŵr y tŷ: yr ydym ni'n ei garu'n fawr,
Ac fe wnawn ni barhau i'w ffafrio fo.
Westeiwraig, gyda'ch cennad.

                                        [*Exeunt*

Golygfa 7
[*Ystafell yng nghastell Macbeth. Sawl obo. Ffaglau. Daw TRULLIAD (bwtler) i mewn, ac aiff amryfal WEISION gyda dysglau a pharatoadau'r wledd ar draws y llwyfan. Yna, daw MACBETH i mewn.*]

MACBETH:
Petai hyn wedi'i wneud, pan gaiff o ei wneud,
Yna byddai'n dda pe bai o'n cael ei wneud
Yn sydyn. Pe gallai y lladd hwn
Rwydo y canlyniad a dal, gyda'i farw o,
Lwyddiant, fel y byddai'r ergyd hon
I gyd yn gwbwl-oll a diwedd-oll
Yma, ar y lan a'r draethell hon o amser,
Fe fentrem ni ein siawns am y bywyd
Sydd i ddod. Ond mewn achosion fel y rhain
Mae yna, o hyd, farnedigaeth yma,
Fel nad ydym ond yn dysgu gwersi gwaedlyd;
A'r rheini, o'u dysgu, yn dychwelyd
I blagio y dyfeisiwr. Y mae'r cyfiawnder
Cytbwys hwn yn cym'radwyo i'n
Gwefusau ni gynhwysion ein cwpan
Llawn o wenwyn. Y mae o yma
Ar ymddiriedaeth ddwbwl: yn gyntaf,

Am fy mod i yn perthyn iddo
Ac yn ddeiliad iddo, sy'n ddau reswm cryf
Yn erbyn y gweithredu; yna, fel ei
Westeiwr, un 'ddylai gau y ddôr yn erbyn
Ei lofruddiwr, nid dwyn fy hun y gyllell.
Heblaw hynny, y mae'r Duncan hwn
Wedi cynnal ei bwerau oll
Mor ostyngedig, wedi dal ei uchel
Swydd mor ddilwgwr, lân,
Fel y bydd ei holl rinweddau'n pledio
Fel angylion, ag utgyrn eu tafodau,
Yn erbyn damnedigaeth ddwys
Ei gymryd ymaith; ac fe fydd tosturi,
Megis baban newydd-eni, noeth
Yn marchogaeth y storm, neu fe fydd
Ceriwbiaid nef, ar gefnau anweledig
Feirch yr awyr, yn chwythu'r weithred enbyd
I bob llygad, nes bod dagrau'n boddi'r gwynt.
'Does gen i ddim sbardun i brocio
Ochrau 'mwriad, dim ond llam uchelgais
Sydd yn gorneidio'i hun a syrthio'r ochor arall –
[*Daw'r ARGLWYDDES MACBETH i mewn*]
Pa hwyl! A pha newyddion?

YR ARGLWYDDES MACBETH:
Mae o bron wedi darfod swpera.
Pam y gadewaist ti'r siambr?

MACBETH:
Ydi o wedi gofyn amdana'-i?

YR ARGLWYDDES MACBETH:
Wyddost ti ddim ei fod o?

MACBETH:
'Awn ni ddim pellach gyda'r mater hwn:
Y mae o wedi f'anrhydeddu i'n ddiweddar,
Ac enillais innau glodydd aur
Gan bob math o bobol, clodydd y dylid
Eu gwisgo yn eu gloywder newydd, ac nid
Eu taflu ymaith mor fuan.

YR ARGLWYDDES MACBETH:

A oedd y gobaith
Hwnnw 'wisgaist ti yn feddw? A gysgodd o
Ers hynny? A deffro'n awr, i edrych
Mor glaf a gwelw ar yr hyn a wnaeth o
Mor barod? O'r adeg yma, fel yna'n
Union yr ystyria' i dy serch.
'Oes gen ti ofn bod 'run fath yn dy weithred
Di dy hun a'th ddewrder ag wyt ti
Yn dy ddymuniadau? A fynnet ti
Gael yr hyn yr wyt ti'n ei fawrygu
Fel addurn bywyd, a byw fel llwfrgi'n ôl
Dy amcan di dy hun, gan adael i
'Na, 'fentra'-i ddim' gael y gorau ar
'Mi fynna' i', fel y gath yn y ddihareb?*

MACBETH:

Da thi, gad lonydd! Fe fentra'-i wneud
Pob peth sy'n gweddu i ddyn ei wneud;
Pwy bynnag fentrith fwy, nid dyn mohono.

YR ARGLWYDDES MACBETH:

Pa fwystfil ynteu wnaeth i ti
Godi'r mater yma gyda mi?
Pan fentret ti ei wneud, yr adeg honno
Yr oeddet ti yn ddyn; ac i fod yn fwy
Na'r hyn oeddet ti, fe fyddet ti
Yn gymaint mwy o ddyn.
Nid oedd na phryd na lle'n gyfleus, ac eto
Fe fynnet ti wneud y ddau hyn felly.
Y mae y ddau, y pryd a'r lle,
Yma'n awr ohonyn nhw eu hunain
Ac mae eu cyfleustra yn dy ddad-wneud di.
Bu gen i blentyn-sugno, ac fe wn
Mor dyner ydi caru'r baban sy'n
Fy ngodro i: fe fyddwn i, ac yntau'n gwenu
Yn fy wyneb, wedi plycio 'nheth
O'i geg ddi-ddant, a bwrw'i 'mennydd allan,

---

*[*A fynnai gael pysgodyn heb fynnu gwlychu'i thraed*]

Pe bawn-i wedi tyngu llw
Fel y gwnest ti am hyn.

MACBETH:
Beth petaem ni'n methu?

YR ARGLWYDDES MACBETH:
Yn methu?
Tynha dy ddewrder hyd at yr eithaf,
A 'wnawn ni ddim methu. Pan fydd Duncan
Yn cysgu – ar gyfer hynny, yn dra thebyg,
Bydd ei deithio caled o ar hyd y dydd
Yn daer iawn yn ei wahodd –
Â gwin a gwasael fe setla' i y ddau o'i weision
Fel na fydd y cof, sy'n geidwad i'r ymennydd,
Yn ddim ond ager, ac na fydd llestr rheswm
Yn ddim ond rhidyll; a phan fydd eu natur
Socian nhw yn gorwedd mewn
Cwsg mochynnaidd, fel rhai meirwon,
Beth na elli di a mi ei wneud
I'r Duncan diamddiffyn? Beth fydd yna
Na allwn ni ei feio ar ei swyddogion soeglyd,
A fydd yn dwyn baich euogrwydd
Ein hanturiaeth fawr?

MACBETH:
Paid ti ag esgor ond ar fabanod
Gwryw'n unig, am na ddylai d'ysbryd
Di-ofn di lunio dim ond dynion.
Ar ôl i ni roi marc mewn gwaed
Ar y ddau gysgadur hynny sy'n
Ei siambr o ei hun, gan ddefnyddio
Eu cyllyll nhw eu hunain, oni dderbynnir
Mai nhw a wnaeth y weithred?

YR ARGLWYDDES MACBETH:
Pwy feiddiai dderbyn
Dim byd arall, gan y gwnawn ni i'n galar
A'n gweiddi ruo ar ei farwolaeth?

MACBETH:
Rydw i yn barod, ac yn plygu
Pob gewyn yn fy nghorff ar gyfer

Y gamp enbyd. I ffwrdd â ni,
A gwawdio'r byd ag ymddangosiad teg;
Rhaid i wyneb ffals gadw yn guddiedig
Yr hyn sydd, yn y galon ffals, yn ddatguddiedig.

[*Exeunt*

ACT II

Golygfa 1

[*Inverness. Cwrt castell Macbeth. Daw BANQUO i mewn, a FLEANCE yn cario ffagl o'i flaen.*]

BANQUO:
Faint ydi hi o'r gloch, wàs?

FLEANCE:
Mae'r lloer yn isel, a chlywais i mo'r cloc.

BANQUO:
Ac y mae'r lloer yn isel am ddeuddeg.

FLEANCE:
Rydw i'n cymryd ei bod hi'n hwyrach, syr.

BANQUO:
Tyrd, cymer di fy nghleddau. Mae
Darbodaeth yn y nef; mae eu canhwyllau nhw
Wedi diffodd i gyd. A chymer hyn'na hefyd.
[*O bosib, clogyn neu wregys*]
Y mae rhyw flinder trwm yn pwyso
Fel plwm arna'-i, ac eto 'dydw i
Ddim eisio cysgu. Bwerau trugarog, ateliwch
Ynof fi'r meddyliau melltigedig
Y mae natur yn rhoi rhyddid iddynt
Wrth i ddyn orffwyso.
[*Daw MACBETH i mewn, a GWAS yn cario ffagl*]
Rho 'nghleddau imi! Pwy sy' 'na?

MACBETH:
Cyfaill.

BANQUO:
Beth, syr, yn dal heb fynd i orffwyso?
Mae'r Brenin yn ei wely: bu o mewn hwyliau
Anghyffredin, ac fe anfonodd roddion
Hael iawn i dy weision. Ac y mae
O'n cyfarch dy wraig di'n arbennig gyda'r deimwnt

Yma, a chyda'r enw o fod y westeiwraig
Garedicaf un; ac fe aeth
I'w wely'n fodlon y tu hwnt i fesur.

MACBETH:

Gan nad oeddem ni yn barod
Am ei ymweliad roedd ein hewyllys
Ni yn gaeth i'n diffyg; fel arall,
Fe fuasem ni wedi darparu yn
Fwy hael fyth.

BANQUO:

Mae pob peth o'r gorau.
Neithiwr fe freuddwydiais i
Am y tair Chwaer Enbyd:
I ti y maen nhw wedi dangos
Rhyw ran o'r gwir.

MACBETH:

'Dydw i
Ddim yn meddwl dim amdanyn nhw.
Eto, pan gawn ni gyfle, mi hoffwn i
Ei dreulio'n trafod rhywfaint ar y mater
Hwnnw, pe bai gen ti'r amser.

BANQUO:

Iawn, pan fynni di.

MACBETH:

Ac os glyni di wrth fy nghyngor i,
Pan ddaw y dydd, fe fydd anrhydedd iti.

BANQUO:

Ond imi beidio â cholli dim anrhydedd
Wrth geisio mwy ohono, ond cadw 'nghalon
Heb ddim euogrwydd ynddi, a'm ffyddlondeb
I yn glir, fe wna' i dderbyn cyngor.

MACBETH:

Tan hynny, gorffwysa di yn dawel!

BANQUO:

Diolch, syr. A thithau yr un fath.

[*Exit BANQUO, a FLEANCE*

MACBETH:

Dos a dywed wrth dy feistres am iddi
Ganu'r gloch pan fydd fy niod i yn barod.
Dos dithau i dy wely.

[Exit y GWAS

Ai dagr ydi'r hyn a wela' i
O 'mlaen, a'r carn tuag at fy llaw?
Tyrd, gad imi afael ynot.
Methu gafael, ac eto rydw i'n
Dy weld o hyd. Wyt ti, O weledigaeth ddreng,
Yn un y gellir ei hamgyffred hi
Â'r teimlad fel â'r golwg? Ynteu a wyt-ti'n
Ddim ond dagr yn y meddwl,
Yn greadigaeth ffals, sy'n deillio o'r
Ymennydd sydd dan ormes gwres?
Yr ydw i'n dy weld o hyd, mor hawdd
Ei chyffwrdd â hon a dynna' i o'i gwain.
[Mae'n dadweinio'i gyllell]
Rwyt ti'n fy arwain i ar hyd y ffordd
Yr oeddwn i'n ei dilyn,
I ddefnyddio offeryn tebyg i'r un
Yr oeddwn innau am ei drin.
Fe wneir fy llygaid i yn ffyliaid
I'm synhwyrau eraill, neu maen nhw
Yn werth y lleill i gyd. Yr ydw i'n
Dal i dy weld; ac ar dy lafn a'r carn
Mae clytiau gwaed, nad oedden nhw ddim yno cynt.
'Does mo'r fath beth. Y mater gwaedlyd sydd
Yn hysbysu'm llygaid i fel hyn.
Yn awr, yn un hanner o'r byd mae natur
Fel pe'n farw, a breuddwydion dreng
Sydd yn andwyo llenni cwsg;
Mae swyngyfaredd yn dathlu offrymau gwelwon
Hecate; a llofruddio gwyw –
Ar rybudd ei wyliedydd, sef y blaidd:
Ei udo ydi'i larwm – a ddaw'n lladradaidd,
Gyda chamre treisiol Tarquin, fel drychiolaeth
At ei nod. Ti, ddaear sicir a chadarn
Ei gosodiad, na foed iti glywed
Sŵn fy nghamau, ffordd yr ânt, rhag ofn

I'r cerrig hyn sydd yma barablu
Am lle'r ydw-i, a dwyn yr arswyd hwn
Oddi-ar yr amser, sy'n awr yn gweddu iddo.
Tra rydw i yn bygwth, mae o yn fyw:
I wres y gweithrediadau mae geiriau'n
Rhoi anadl rhy oer.
[*Mae cloch yn canu*]
Mi a'-i, a dyna ben. Gwahodda'r gloch.
Paid ti â'i chlywed, Duncan, am mai cnul yw hi
Sydd i nef neu uffern yn dy alw di.

[*Exit*

Golygfa 2

[*Castell Macbeth. Daw'r ARGLWYDDES MACBETH i mewn.*]

YR ARGLWYDDES MACBETH:

Mae'r hyn a'u gwnaeth nhw'n feddw wedi
Fy ngwneud innau'n hy; a'r hyn a wnaeth
Eu diffodd nhw wedi rhoddi tân i mi.
Ust! Tangnefedd!
Y dylluan ddar'u sgrechian, clochydd angau,
Sy'n cyfarch â'r 'Nos da' galetaf un.
Y mae o wrthi. Mae'r dorau yn agored,
A'r gweision, gan ormodedd gwin, yn gwatwar
Eu dyletswydd gyda'u rhochian.
Fe gymysgais i eu diodydd, fel bod angau a
Natur yn ymgiprys amdanyn nhw,
Pa un ai byw ai marw fyddan nhw.

MACBETH: [*O'r tu mewn*]

Pwy sy 'na? Be sydd!

YR ARGLWYDDES MACBETH:

Gwae fi, mae arna'-i ofn
Eu bod nhw wedi deffro, a dyna'r diwedd!
Yr ymdrech, nid y weithred sy'n ein drysu ni.
Ust! Gosodais i y cyllyll wrth law;
'Allai o mo'u methu nhw. Pe bai o,

Y Brenin, ddim mor debyg i fy nhad
Pan oedd o'n cysgu, fe fyddwn i
Wedi gwneud y peth fy hun.
[*Daw MACBETH i mewn*]
Fy mhriod!

MACBETH:

Rydw-i wedi gwneud y weithred.
'Chlywaist ti ddim sŵn?

YR ARGLWYDDES MACBETH:

Fe glywais i'r dylluan yn sgrechian, a chlywais
Sŵn y crics. 'Ddar'u ti ddim siarad?

MACBETH:

Pryd?

YR ARGLWYDDES MACBETH:

Yn awr.

MACBETH:

Wrth ddod i lawr?

YR ARGLWYDDES MACBETH:

Ie.

MACBETH:

Ust! Pwy sy' 'na'n cysgu yn yr ail siambr?

YR ARGLWYDDES MACBETH:

Donalbain.

MACBETH:

Dyma olwg wir druenus.
[*Gan edrych ar ei ddwylo*]

YR ARGLWYDDES MACBETH:

Syniad gwirion – dweud 'golwg wir druenus'.

MACBETH:

Yr oedd 'na un 'wnaeth chwerthin yn ei gwsg,
Ac un a waeddodd, 'Mwrdwr!' fel y bu
I'r ddau ddeffro ei gilydd. Fe sefais i
A'u clywed. Ond fe ddwed'son nhw eu pader,
A throi i gysgu eto.

YR ARGLWYDDES MACBETH:

    Mae 'na ddau'n lletya gyda'i gilydd.

MACBETH:

    Fe waeddodd un 'Duw a'n bendithio!', a'r llall

    'Amen', fel pe baen nhw wedi 'ngweld-i

    Gyda'r dwylo-dienyddiwr hyn.

    Wrth wrando ar eu hofn, 'allwn i ddim dweud

    'Amen', pan ddwed'son nhw 'Duw a'n bendithio!'

YR ARGLWYDDES MACBETH:

    Paid â meddwl mor ddifrif am y peth.

MACBETH:

    Ond pam na allwn i ynganu 'Amen'?

    Roedd arna'-i angen dirfawr iawn am fendith,

    A glynodd 'Amen' yn fy ngwddw.

YR ARGLWYDDES MACBETH:

    Fiw inni feddwl fel'ma am y gweithredoedd hyn;

    Fel hyn, fe yrran nhw ni'n wallgo.

MACBETH:

    Meddyliais imi glywed llais yn gweiddi,

    'Dim cysgu mwy! Y mae Macbeth yn mwrdro cwsg' –

    Y cwsg diniwed, y cwsg sydd yn esmwytho

    'Dafedd dryslyd pryder, marwolaeth

    Bywyd pob rhyw ddydd, baddon llafur

    Poenus, a balm meddyliau briw, ail gwrs

    Natur fawr, prif faethydd yng ngwledd bywyd.

YR ARGLWYDDES MACBETH:

    Be wyt ti'n ei feddwl?

MACBETH:

    Fe ddaliai'r llais i weiddi 'Dim cysgu mwy!'

    I'r tŷ i gyd. 'Glamis sydd wedi mwrdro cwsg,

    Ac felly Cawdor mwy ni chwsg:

    Ni chwsg Macbeth byth mwy.'

YR ARGLWYDDES MACBETH:

    Pwy oedd yna'n gweiddi fel'ma? Yn wir,

    O Arglwydd da, rwyt ti yn colli gafael

    Ar urddas dy gadernid, wrth feddwl ag

Ymennydd claf am bethau. Dos, chwilia
Am ddŵr a golcha y dystiolaeth aflan yma
Oddi ar dy law. Pam 'gwnest ti ddwyn
Y cyllyll hyn o'r lle? Mae'n rhaid eu gadael
Yno. Dos, caria nhw a staenia'r gweision
Cysglyd gyda gwaed.

MACBETH:
                        'D a' i ddim mwy.
Mae arna' i ofn meddwl am yr hyn
A wnes i. Ac edrych arno eto – 'fentra'-i ddim.

YR ARGLWYDDES MACBETH:
Yr an-sad ei fwriad! Rho y cyllyll i mi:
'Dydi'r rhai sy'n cysgu, a'r meirwon
Ond fel lluniau. Llygad plentyn sy'n ofni
Diafol wedi'i beintio. Os ydi o yn gwaedu,
Fe eura' i wynebau'r gweision gyda'r gwaed
Am fod yn rhaid i'r euro hwn ymddangos
Fel eu heuogrwydd nhw.

                        [*Exit. Cnocio o'r tu mewn*

MACBETH:
                        Ymhle mae'r curo yna?
Be sy'n bod arna'-i, pan fo pob sŵn
Yn peri dychryn? Pa ddwylo sy 'na yma?
Ha! Y maen nhw'n tynnu'n llygaid i o 'mhen!
A wnaiff holl eigion Neifion fawr olchi'n
Lân y gwaed hwn o fy llaw? Na;
Fe wnaiff fy llaw i'n hytrach ruddo yr aneirif
Foroedd, gan wneud y gwyrdd yn goch i gyd.

[*Daw'r ARGLWYDDES MACBETH i mewn*]

YR ARGLWYDDES MACBETH:
Mae 'nwylo i 'run lliw â'th ddwylo di,
Ond byddai arna'-i g'wilydd gwisgo calon
Mor wyn. [*Cnocio*] Yr ydw i yn clywed curo
Wrth borth y de. Fe awn ni'n ôl i'n siambr.
Fe wnaiff ychydig bach o ddŵr ein clirio ni
O'r weithred. Mor hawdd, felly, ydi hyn!
Mae dy reolaeth wedi d'adael di. [*Cnoc*] Ust!

Mwy o guro. Rho d'ŵn nos amdanat,
Rhag inni gael ein galw, a chael ein gweld
Fel rhai sydd ar eu traed o hyd. Paid ti
Â bod ar goll, mor dlawd fel hyn yn dy feddyliau.

MACBETH:
O wybod beth a wnes i, fe fyddai'n well
Imi beidio f'adnabod fy hun.
[*Cnoc*]
O deffra Dduncan â dy guro!
Mi fynnwn i pe medrit!

[*Exeunt*

Golygfa 3
[*Castell Macbeth. Daw PORTHOR i mewn. Cnocio oddi mewn.*]

PORTHOR:
Dyma guro go-iawn! Pe bai gŵr yn borthor gatiau uffern, fe gâi o
hen ddigon o droi'r allwedd. [*Cnoc oddi mewn*] Cnoc, cnoc, cnoc!
Pwy sy 'na, yn enw Beelzebub? Dyma inni ffermwr, a'i crogodd
ei hun gan ddisgwyl gwneud ei ffortiwn. Dowch, mewn da bryd!
A digon o hancesi gyda chi; yma fe gewch chi chwysu am hyn.
[*Cnoc oddi mewn*] Cnoc, cnoc! Pwy sy 'na, 'neno'r diawl arall? Ar
fy llw, dyma imi barablwr-amwys, a allai dyngu llw yn naill ochr y
glorian yn erbyn y llall; a gyflawnodd ddigon o frad er mwyn Duw,
ond na allai amwys-barablu ei ffordd i'r nefoedd. O, tyrd i mewn, y
prebliwr amwys. [*Cnoc oddi mewn*] Cnoc, cnoc, cnoc! Pwy sy 'na?
Ar fy llw, dyma inni deiliwr o Sais wedi dod yma am ddwyn darn o
drowsus Ffrengig; tyrd i mewn, deiliwr. Yma fe gaiff dy ŵydd di ei
rhostio. [*Cnoc oddi mewn*] Cnoc, cnoc: dim munud o lonydd! Beth
wyt ti? Ond y mae'r lle yma'n rhy oer i uffern. 'Wna' i ddim bod yn
borthor-diawl ddim mwy. Roeddwn i wedi meddwl gadael i mewn
rai o bob proffesiwn sy'n mynd ar hyd llwybyr y briallu i goelcerth
colledigaeth. [*Cnoc oddi mewn*] Gyda hyn, gyda hyn! [*Yn agor y
porth*] Da chi, cofiwch am y porthor.

[*Daw MACDUFF a LENNOX i mewn*]

MACDUFF:

Gyfaill, oedd hi mor hwyr, cyn iti fynd
I glwydo, fel dy fod di'n gorwedd yma'n hwyr?

PORTHOR:

Brensiach, syr, yr oeddem ni'n diota tan ganiad yr ail geiliog: ac y
mae diod, syr, yn ysgogwr mawr i dri pheth.

MACDUFF:

Pa dri pheth mae diod yn arbennig
Yn eu hysgogi?

PORTHOR:

Wel, syr, peintio'r trwyn, cysgu, a phasio dŵr. Trythyllwch, syr:
mae hi'n ei gymell a'i anghymell; y mae hi'n codi blys, ond yn
siomi wrth berfformio. Felly fe ellir dweud fod llawer o ddiod yn
ddauwynebog lle mae trythyllwch yn y cwestiwn: mae hi'n ei godi
o a'i ostwng o; mae hi'n ei annog o ymlaen ac yn ei ddal yn ôl;
mae hi'n ei galonogi ac yn ei ddigalonni; gwneud iddo godi fry a
pheidio â gwneud hynny; i gloi, mae hi'n ei dwyllo yn ei gwsg, a
chan balu c'lwyddau wrtho, yn ei adael.

MACDUFF:

Rwy'n credu i'r ddiod dy lorio dithau neithiwr
Â'i chelwyddau.

PORTHOR:

Fe wnaeth y ddiod hynny, syr, yn union yn fy ngwddw: ond mi
delais i'n ôl iddi hi am ei chelwydd ac, rydw i'n meddwl, gan fy
mod i'n rhy gryf iddi hi, er iddi unwaith gydio yn fy nghoesau i, eto
mi symudais i i'w thaflu hi i fyny.

MACDUFF:

A ydi dy feistr wedi codi?
[*Daw MACBETH i mewn*]
Y mae ein curo wedi'i ddeffro: dyma fo.

LENNOX:

Dydd da iti, wrda.

MACBETH:

                    Dydd da i chithau'ch dau.

MACDUFF:

Ydi'r Brenin yn ystwyrian, O arglwydd teilwng?

MACBETH:
Ddim eto.

MACDUFF:
Fe orchmynnodd o i mi ei alw'n gynnar:
Rydw i bron iawn yn rhy hwyr.

MACBETH:
                              Fe a'-i â chi ato fo.

MACDUFF:
Fe wn fod hyn yn drafferth ddymunol ichi,
Ond, er hynny, mae hi'n drafferth.

MACBETH:
Mae'r llafur sy'n rhoi pleser yn ffisig da i boen.
Dyma'r ddôr.

MACDUFF:
                    Fe fentra' innau alw,
Am mai dyna, yn benodol, fy nyletswydd.

                                        [*Exit MACDUFF*

LENNOX:
Ydi'r Brenin yn mynd odd'ma heddiw?

MACBETH:
Ydi: fe ddywedodd hynny.

LENNOX:
Mae'r noson wedi bod yn drwblus. Lle'r
Oeddem ni, fe chwythwyd y simneiau drosodd;
Ac, meddan nhw, fe glywyd galarnadu
Yn yr awyr, sgrechian rhyfedd angau,
A daroganau mewn acenion erch
Am dwrw enbyd, a digwyddiadau dryslyd
Newydd gael eu deor i'r amserau dreng.
Bu aderyn y tywllwch yn groch ar hyd y nos;
Ac yn ôl rhai, yr oedd y ddaear oll
Dan dwymyn ac yn crynu.

MACBETH:
Yr oedd hi'n noson eger.

LENNOX:

Ni all fy meddwl ifanc i
Gofio dim byd tebyg iddi.

[*Daw MACDUFF i mewn*]

MACDUFF:

O arswyd, arswyd, arswyd! 'All 'run tafod
Na'r un galon chwaith d'amgyffred di na d'enwi.

MACBETH a LENNOX:

Be yn y byd sy'n bod?

MACDUFF:

Yn awr mae anhrefn wedi creu ei gampwaith.
Mae'r mwrdwr mwyaf halogedig wedi
Malu yn agored deml eneiniedig
Yr arglwydd, ac wedi dwyn odd'yno
Fywyd yr adeilad.

MACBETH:

Be ti'n feddwl – y bywyd?

LENNOX:

Wyt ti'n meddwl ei Fawrhydi?

MACDUFF:

Dowch at y siambr, a dinistrio'ch golwg
Â Gorgon newydd. Peidiwch 'gofyn imi siarad.
Edrychwch, ac yna siarad drosoch chi
Eich hunain. Deffrwch, deffrwch!

[*Exeunt MACBETH a LENNOX*]

Seiniwch y gloch larwm. Brad a mwrdwr!
Banquo a Donalbain, Malcolm, deffrwch!
Teflwch ymaith y cwsg trwmbluog hwn,
Ffug-ddelw angau, a syllu ar angau'i hun!
Codwch, codwch, a gweld llun o
Ddydd y Farn! Malcolm, Banquo,
Fel pe bai o'ch beddau codwch chi,
A rhodio megis drychiolaethau,
I wynebu'r arswyd yma.
Canwch y gloch.

[*Mae'r gloch yn canu. Daw'r ARGLWYDDES MACBETH i mewn.*]

YR ARGLWYDDES MACBETH:
> Be ydi'r helynt,
> Fod y fath drwmpedu erchyll yn galw
> Cysgaduriaid y tŷ hwn? Dwedwch, dwedwch!

MACDUFF:
> O arglwyddes dirion, 'ddylet ti
> Ddim gorfod clywed yr hyn y galla' i ei ddweud:
> Fe fyddai ei ailadrodd, yng nghlust gwraig,
> Yn ei mwrdro wrth ei glywed.
> [*Daw BANQUO i mewn*]
> O Banquo, Banquo!
> Mae'n meistr brenhinol ni wedi ei fwrdro.

YR ARGLWYDDES MACBETH:
> O gwae, trueni! Beth, yn ein tŷ ni?

BANQUO:
> Rhy greulon ym mhle bynnag. Duff annwyl,
> Rydw-i'n erfyn, gwrthddweda di dy hun,
> A dwed nad fel'ma y mae hi.

> [*Daw MACBETH, LENNOX, a ROSS i mewn*]

MACBETH:
> Pe bawn i wedi marw un awr cyn y fath drallod,
> Fe fyddwn i yn wyn fy myd;
> Oherwydd, o hyn allan, 'does dim byd
> O bwys mewn bywyd: petheuach ydi'r cyfan.
> Mae gras a bri yn farw, gwin einioes wedi'i dynnu,
> A dim ond gwaddod wedi'i adael yma,
> Yn y seler, i ymffrostio ynddo.

> [*Daw MALCOLM a DONALBAIN i mewn*]

DONALBAIN:
> Be sydd o'i le?

MACBETH:
> Tydi, ond heb dy fod di'n gwybod hynny.
> Y mae tarddiad, y mae pen, y mae ffynhonnell
> Dy waed di wedi'i gau; y mae'r union le
> Y mae o'n tarddu wedi'i gau.

MACDUFF:

Mae dy dad brenhinol wedi ei ladd.

MALCOLM:

O! Gan bwy?

LENNOX:

Fe ymddengys mai'r rhai oedd yn ei stafell
A wnaeth hyn: yr oedd eu dwylo a'u
Hwynebau yn fathodynnau gwaed; a'u cyllyll
Hefyd, a gafwyd heb eu sychu ar eu
Dau obennydd. Yr oedd y ddau yn
Llygadrythu ac yn ddryslyd. Ni ellid
Ymddiried bywyd unrhyw un i'r ddau.

MACBETH:

O, eto mae'n edifar gen-i am fy nghynddaredd –
Fy mod i wedi'u lladd.

MACDUFF:

Pam y gwnest ti hynny?

MACBETH:

Pwy all fod yn ddoeth, yn ddryslyd, yn bwyllog
Ac yn llidiog, yn deyrngar a diduedd,
A hynny yr un pryd? Neb ohonom.
Fe redodd brys fy nghariad gwyllt o flaen
Y pwyllwr, rheswm. Dyna lle'r oedd Duncan
Yn gorwedd, ei groen ariannaid yn stribedau
O'i waed euraid, ac archollion ei drywanu
Yn edrych fel petai mewn natur fwlch
I ddifrod diffeithiol ddod i mewn:
Yno roedd y llofruddion, wedi'u mwydo
Yn lliwiau eu crefft, eu cyllyll yn anweddaidd
Mewn llodrau o waed. Pwy, a chanddo galon
I ymserchu – ac yn y galon honno
Ddewrder i wneud ei serch yn hysbys –
A allai byth ymatal?

YR ARGLWYDDES MACBETH:

Helpwch fi i fynd odd'yma, O!

[*Y mae'n llewygu*]

MACDUFF:
Gofelwch am yr arglwyddes.

MALCOLM: [*O'r naill du, wrth DONALBAIN*]
Pam rŷm ni yn atal ein tafodau,
Ni, y rheini sydd â mwy o hawl na neb
I siarad am y mater hwn?

DONALBAIN: [*O'r naill du, wrth Malcolm*]
Beth ddylid ei ddweud yma, lle 'gall ein ffawd,
Sy'n cuddio mewn twll ebill, ruthro
Arnom ni a'n dal? Fe awn ni ymaith;
Dydi'n dagrau ni ddim wedi'u bragu eto.

MALCOLM: [*O'r naill du, wrth DONALBAIN*]
Na'n galar cryf ar droed i symud.

BANQUO:
Gofelwch am 'r arglwyddes.
[*Mae'r ARGLWYDDES MACBETH yn cael ei helpu i fynd allan*]
A phan fyddwn ni wedi cuddio
Ein gwendidau noeth, sy'n diodde'n yr elfennau,
Gad i ni gyfarfod i drafod y gwaith
Tra gwaedlyd hwn, i wybod mwy amdano.
Mae ofnau ac amheuon yn ein sgytian ni.
Yn llaw fawr Duw y safa' i,
Ac o'r fan honno yr ymladda' i
Yn erbyn y cynllwyn cyfrin hwn o falais
Gwir fradwrus.

MACDUFF:
                    Ac felly finnau.

PAWB:
                              Felly pawb.

MACBETH:
Gadwch inni'n frysiog roi amdanom
Barodrwydd gwrol, a chwarfod yn y neuadd.

PAWB:
Hollol fodlon.

                    [*Exeunt pawb ond MALCOLM a DONALBAIN*

MALCOLM:

Be wnei di? 'Wnawn ni ddim gwneud dim byd
Â nhw. Y mae arddangos galar
Heb ei deimlo'n waith a wna'r gŵr ffals
Yn rhwydd. Fe a' i i Loegr.

DONALBAIN:

A minnau i Iwerddon; fe wna ein ffawd ni,
Ar wahân, gadw'r ddau ohonom ni'n
Fwy diogel. Ble bynnag 'byddwn ni y mae
Yng ngwenau dynion gyllyll. Po nesa'r gwaed,
Y nesa'r gwaedlyd.

MALCOLM:

Dydi'r saeth lofruddiog hon
Sydd wedi'i saethu ddim wedi syrthio eto
Ac, i ni, y peth mwyaf diogel ydi
Osgoi'r anelu. Felly, am ein ceffylau â ni,
Gan beidio â bod mor dlws-gysetlyd
Â mynd i ddweud ffarwél, fe sleifiwn ymaith.
Pan na fo dim trugaredd, yna mae i ladrad
Sydd yn ei ladrata'i hun, bob cyfiawnhad.

[*Exeunt*

Golygfa 4
[*Y tu allan i gastell Macbeth. Daw ROSS a HEN ŴR i mewn.*]

HEN ŴR:

Deng mlynedd a thrigain, fe gofia'-i'n dda:
O fewn y gyfrol hon o amser fe welais i
Oriau enbyd, pethau rhyfedd, ond gwnaeth
Y nos flinderog hon bob profiad cynt yn ddim.

ROSS:

Ha, dad daionus, rwyt ti yn gweld y nefoedd,
Fel petai wedi'i tharfu gan weithredoedd dyn,
Yn bygwth ei lwyfan gwaedlyd o. Yn ôl
Y cloc mae'n ddydd, ond eto mae
Y nos dywyll hon yn tagu y lamp
Honno sydd yn treiglo: ai tra-arglwyddiaeth nos
Neu warth y dydd ydi hyn – fod t'wllwch du

Yn fedd dros wyneb daear pan ddylai golau
Bywiol ei chusanu?

HEN ŴR:

Mae hyn yn annaturiol,
Yn union fel y weithred hon a wnaed.
Ddydd Mawrth diwethaf bu i hebog,
Ar uchaf ei ehediad balch, gael ei gipio
A'i ladd, gan dylluan yn llygota.

ROSS:

Ac fe wnaeth ceffylau Duncan – peth
Rhyfedd iawn yn wir – rhai teg a chwim,
Dewisaf rai eu rhyw, droi'n wyllt eu natur,
A malu'u stablau, rhuthro allan, gan herio
Pob ufudd-dod, fel pe baen nhw am fynd
I ryfel â'r ddynoliaeth.

HEN ŴR:

Y mae 'na sôn eu bod nhw wedi bwyta'i gilydd.

ROSS:

Fe wnaethon-nhw hynny, er syndod mawr i'm llygaid
A welodd yr holl beth.
[*Daw MACDUFF i mewn*]
Dyma fo
Y gŵr da Macduff yn dod.
A sut mae pethau, syr, yn awr?

MACDUFF:

Pam, oni welwch chi sut?

ROSS:

'Oes yna ryw wybodaeth am bwy a wnaeth
Y weithred fwy na gwaedlyd hon?

MACDUFF:

Y rheini 'wnaeth Macbeth eu lladd.

ROSS:

Gwae inni'r dydd! Pa dda 'obeithien nhw
Ei gael?

MACDUFF:

Fe gawson lwgwr-wobr:

Mae Donalbain a Malcolm, dau fab y Brenin,
Wedi stelcian mynd a ffoi; mae hynny'n bwrw
Arnyn nhw ddrwgdybiaeth am y weithred.

ROSS:

O hyd yn groes i natur. Uchelgais afrad! –
Sy'n ysu'n farus dy foddion byw dy hun!
Ac felly, mae hi'n debyg iawn
'Bydd i'r sofraniaeth syrthio ar Macbeth.

MACDUFF:

Mae o wedi'i enwi'n barod, ac wedi
Mynd i Scone* i'w arwisgo'n frenin.

ROSS:

Ble mae corff y Brenin Duncan?

MACDUFF:

Wedi'i gario i Colme-kill,
Gorweddfan gysegredig ei hynafiaid,
A gwarchodfa'u hesgyrn.

ROSS:

'Ei di i Scone?

MACDUFF:

Nac af, gyfaill; fe a' i i Ffeiff.

ROSS:

Wel, fe a' i yno.

MACDUFF:

Wel, gobeithio y gweli di well trefn
Ar gyflawni pethau yno. Ffarwél.
Rhag ofn y bydd ein hen ddilladau ni
Yn ffitio'n well na'r newydd!

ROSS:

Ffarwél, 'nhad mwyn.

HEN ŴR:

Bendith Duw fo gyda chi, a'r rheini
A wnelo'r drwg yn dda, a gelynion
Yn gyfeillion.

[Exeunt pawb

*[*Ynganer 'Scŵn'*]

ACT III

Golygfa 1

[*Fforres. Y palas. Daw BANQUO i mewn.*]

BANQUO:
Mae'r cyfan gen ti 'nawr: Brenin, Cawdor,
Glamis, y cwbwl fel yr addawodd
Y Gwragedd Dreng, ac mae gen i ofn
Iti chwarae yn hyll iawn am hyn.
Ond eto fe ddywedwyd nad oedd parhad
I hyn yn dy hil di, ond y byddwn i
Yn wraidd a thad brenhinoedd lawer.
Os daw unrhyw wir odd'wrthyn nhw –
Fel y mae'u hareithiau yn disgleirio
Arnat ti, Macbeth – yna, wrth
Y gwirioneddau 'ddaeth i fod i ti,
Oni allan-nhw fod yn oraclau i minnau
Hefyd, a rhoi lle i obaith imi?
Ond ust, dim mwy!

[*Sain corn. Daw MACBETH i mewn yn Frenin, gyda'r ARGLWYDDES
MACBETH, LENNOX, ROSS, ARGLWYDDI, a CHANLYNWYR.*]

MACBETH:
                    Dyma ein prif westai ni.

YR ARGLWYDDES MACBETH:
Pe baem ni wedi ei anghofio fo,
Fe fyddai yna fwlch yn ein gwledd odidog ni,
A phopeth yn anweddaidd drwodd a thro.

MACBETH:
Heno fe baratown ni swper ffurfiol,
Syr, ac rydw-i'n gofyn iti ddod.

BANQUO:
Bydded i'ch Mawrhydi orchymyn imi,
Wrth hynny mae fy nyletswyddau i
Wedi'u clymu am byth gyda'r cwlwm
Mwya' annatod.

MACBETH:

Wyt ti'n marchogaeth heddiw'r pnawn?

BANQUO:

Ydw, f'arglwydd da.

MACBETH:

Pe baet ti ddim, fe fyddem wedi hoffi
Cael dy gyfarwyddyd da (sydd bob amser
Wedi bod yn bwyllog a phroffidiol)
Yn y Cyngor heddiw; ond gwnaiff yfory'r tro.
Wyt ti am farchogaeth ymhell?

BANQUO:

Cyn belled, f'arglwydd,
Ag y cymer hi i basio'r amser
Rhwng yn awr a swper. Os aiff fy march yn gynt,
Fe fydd yn rhaid i mi droi'n fenthyciwr
Ar y nos am awr dywyll neu ddwy.

MACBETH:

Paid â cholli'n gwledd.

BANQUO:

Na wnaf wir, fy arglwydd.

MACBETH:

Fe glywsom ni fod ein cefndryd gwaedlyd
Yn cael lloches yn Lloegr ac Iwerddon,
Heb gyffesu eu tad-laddiad creulon,
Gan lenwi eu gwrandawyr â dyfeisiadau
Rhyfedd. Ond mwy am hyn yfory
Pryd, yn ychwanegol, y bydd achosion
Gwladol yn mynnu'n sylw ni. Ffwrdd 'ti
At dy geffyl. Ffarwél, nes iti heno
Ddod yn ôl. Ydi Fleance yn dod gyda thi?

BANQUO:

Ydi, f'arglwydd da: ac y mae hi
Yn bryd inni fynd.

MACBETH:

Yr ydw i'n dymuno y bydd eich meirch chi'n
Chwim a sicir ar eu troed, ac felly

Rydw i'n eich cym'radwyo chi
I'w cefnau nhw. Ffarwél.

[*Exit BANQUO*

Boed i bob un sydd yma drefnu'i amser
Tan saith o'r gloch yr hwyr. Ac er mwyn
Gwneud y gwmnïaeth yn fwynach, yr ydym ni
Am fod ar ein pen ein hun tan amser swper.
Hyd hynny 'te, Duw fo gyda chi!
        [*Exeunt yr ARGLWYDDI, a phawb ond MACBETH a'r GWAS*
Ti, gair bach â thi. 'Oes 'na ddynion
Yn disgwyl amdanom?

GWAS:
Y mae 'na, f'arglwydd – 'tu allan, wrth y porth.

MACBETH:
Tyrd â nhw yma ger ein bron.

[*Exit y GWAS*

Dydi bod fel hyn yn ddim, heb fod
Fel hyn yn ddiogel. Mae'n hofnau ynghylch Banquo'n
Glynu'n ddwfn, ac ym mrenhiniaeth
Ei natur o y mae 'na yn teyrnasu
Yr hyn y dylem ni ei ofni.
Y mae o yn mentro llawer;
Ac, ynghyd ag ansawdd beiddgar iawn
Ei feddwl, mae ganddo fo ddoethineb
Sy'n cyfarwyddo'i ddewrder i weithredu
Mewn diogelwch. 'Does 'na neb ond fo
Yr ydw i yn ofni ei fodolaeth:
A thano fo, y mae yr Ysbryd
Sy'n fy ngwarchod i'n cael cerydd,
Fel y d'wedir fod yr Ysbryd oedd
Yn gwarchod Mark Antony gynt
Yn cael cerydd Caesar.
Fe geryddodd o y chwiorydd,
Pan ddar'u nhw gyntaf roi enw Brenin arna' i,
Gan ofyn iddyn nhw lefaru wrtho fo;
Ac yna, fel proffwydi, fe ddar'u nhw
Ei gyfarch o fel tad i linach o frenhinoedd.
Ar fy mhen i fe roeson nhw goron ddiffrwyth,
Ac yn fy ngafael rhoi teyrnwialen hesb,

I'w rhwygo oddi yno gan law na fydd
O'm llinach i, heb fab i mi i'm dilyn.
Os felly y mae hi, fe halogais i
Fy meddwl er mwyn hiliogaeth Banquo;
Ac er eu mwyn nhw fe lofruddiais i
Y graslon Dduncan; fe rois i chwerwder
Yn llestr fy nhangnefedd iddyn nhw,
Gan roi fy nhlws tragwyddol i Elyn
Cyffredin dynol ryw i'w codi nhw'n frenhinoedd;
Had Banquo yn frenhinoedd! Rhag i hynny
Ddigwydd tyrd, ffawd, i faes y frwydyr,
A nertha fi hyd farw. Pwy sy' 'na?
[*Daw GWAS i mewn a DAU LOFRUDD*]
'Nawr dos di at y drws, ac aros yno
Nes inni alw arnat.

[*Exit y GWAS*

Onid ddoe oedd hi pan fuom ni yn sgwrsio?

LLOFRUDDION:

Ie'n wir, a boddio eich Mawrhydi.

MACBETH:

Wel 'te, 'nawr, a ydych chi
Wedi ystyried fy ngeiriau? Fe ddylech chi
Gael gwybod mai fo, yn yr amser a aeth heibio,
A'ch cadwodd chi mor fyr o'ch haeddiant,
A chithau'n meddwl mai'r diniwed hwn,
Myfi, a oedd ar fai: fe wnes i hyn
Yn eglur ichi yn ein cwarfod d'wethaf –
Gan rannu'r prawf â chi, pa fodd
Y cawsoch chi eich twyllo a'ch rhwystro,
Y moddion a ddefnyddiwyd, a phopeth arall
A allai ddweud wrth un hanner-pan
Â meddwl wedi'i ddrysu, 'Fel yma
Y gwnaeth Banquo'.

Y LLOFRUDD CYNTAF:

Fe wnaethoch chi ddangos hyn i ni.

MACBETH:

Fe wnes; a mynd ymhellach, dyna bwrpas
Yr ail gyfarfod yma. A ydi

Eich amynedd mor gadarn yn eich natur,
Fel y gallwch adael i hyn fynd?
A ydych chi mor efengylaidd â mynd
I weddi dros y dyn da hwn a thros
Ei epil, y mae ei law drom o
Wedi'ch plygu chi i'r bedd, a gwneud
Cardotwyr fyth o'ch epil chi?

Y LLOFRUDD CYNTAF:

                            Dynion
Ydym ni, f'arglwydd.

MACBETH:

Ie, yn rhestrau bywyd fe gyfrifir chi
Yn ddynion; fel y caiff bythéid a milgwn,
Mwngreliaid, sbangwn, corgwn, cŵn-blew-hir,
Cŵn-hela-dŵr a hanner bleiddiaid oll
Eu galw'n gŵn: mae'r rhestr sy'n dynodi gwerth
Yn gwahaniaethu rhwng y chwim, yr araf,
Y cyfrwys, y ci gwarchod, y ci hela,
Pob un yn ôl y ddawn 'osododd natur
Hael o'i fewn: trwy hynny y derbynnith o
Ei nodwedd arbenigol, rhagor y rhestr
Honno sy'n sgrifennu'r cwbwl yr un fath:
A dynion yr un modd. Yn awr, os oes
Gennych chi ryw safle yn y rhestr,
Heb fod yn rheng isaf un dynoliaeth,
Dwedwch felly, ac fe roddaf innau
Fusnes yn eich mynwes a fydd,
Ond ei gyflawni, yn dwyn eich gelyn ymaith,
Ac yn eich clymu yn ein calon ni
A'n serch, nyni sy'n salw iawn
Ein hiechyd tra bydd o yn dal yn fyw,
Ond a fyddai – gyda'i farw o –
Yn berffaith.

YR AIL LOFRUDD:

            Yr ydw i yn un, fy arglwydd,
Y mae ergydion ffiaidd a dyrnodiau'r byd
Wedi'i gynddeiriogi fel nad ydw-i'n
Hidio dim beth wna' i i ddirmygu'r byd.

Y LLOFRUDD CYNTAF:

Yr ydw innau yn un arall
Sydd wedi hen alaru ar anffodion,
A chael ei dynnu'n groes gan ffawd,
Fel y mentrwn i fy mywyd,
A hynny ar unrhyw siawns i'w wella
Neu i'w wared.

MACBETH:

Fe ŵyr y ddau ohonoch
Fod Banquo'n elyn ichi.

Y DDAU LOFRUDD:

Gwyddom, f'arglwydd.

MACBETH:

Mae'n elyn i mi hefyd, ac y mae
O fewn cyrraedd gwaedlyd cleddau ata'-i
Fel bod pob munud o'i fodolaeth o
Yn taro'n agos at fy mywyd i;
Ac er y gallwn i – â grym agored hollol –
Ei sgubo fo o 'ngolwg a pheri i'm
Hewyllys gyfiawnhau y gwaith, eto
Rhaid imi beidio, oherwydd fod cyfeillion
Iddo fo a minnau, na alla' i
Ddim gollwng gafael ar eu serch
Gan alaru am ei gwymp, cwymp un
A drewais i fy hun i lawr. A dyna pam
Yr ydw i yn closio atoch chi
Am help, gan roddi mwgwd dros y mater
Rhag llygad y cyffredin-rai am lawer
Rheswm pwysfawr.

YR AIL LOFRUDD:

Fe wnawn ni, f'arglwydd,
Gyflawni'r hyn a orchymynnaist inni.

Y LLOFRUDD CYNTAF:

Er bod ein bywydau –

MACBETH:

Mae eich ysbrydoedd yn disgleirio drwoch.
Cyn pen yr awr, fan bellaf, fe rodda' i

Wybod ichi ymhle i fynd i guddio,
A rhoi gwybod ichi am yr amser
Addas i lofruddio – yr union foment iddo;
Oherwydd y mae'n rhaid ichi wneud hyn heno,
Beth pellter draw o'r palas, a chan gofio
Fod arna'-i eisio bod yn glir o bob
Amheuaeth; a chydag o – heb adael nam
Na stomp o gwbwl yn y gwaith –
Mae'n rhaid i'w fab o, Fleance,
Sy'n cadw cwmni iddo, nad ydi'i absenoldeb
Ddim yn llai o bwys i mi nag eiddo'i dad,
Gyfrannu o'r un ffawd ar yr un awr
Dywyll honno. Penderfynwch o'r naill du:
Fe ddo' i atoch yn y man.

Y DDAU LOFRUDD:

Mae'r penderfyniad, f'arglwydd, wedi'i wneud.

MACBETH:

Fe alwa'-i arnoch chi yn union deg. Arhoswch
Oddi mewn. [*Exeunt y LLOFRUDDION*] Mae wedi'i benderfynu:
Banquo, os ydi d'enaid i ehedeg yno,
I'r nef, bydd yn rhaid i ti ddarganfod hynny heno.

[*Exit*

Golygfa 2

[*Y castell yn Fforres. Daw'r ARGLWYDDES MACBETH i mewn gyda GWAS.*]

YR ARGLWYDDES MACBETH:

Ydi Banquo wedi mynd o'r llys?

GWAS:

Ydi, madam, ond mi ddaw o yn ei ôl
Eto heno.

YR ARGLWYDDES MACBETH:

Dywed wrth y Brenin
Y byddai'n dda gen i gael gair ag o.

GWAS:

Madam, fe wna'-i.

[*Exit*

YR ARGLWYDDES MACBETH:

Dim elwach, y cyfan
Wedi'i dreulio, lle'r enillasom ni
Yn rhwydd ein dyhead, ond heb ddim bodlonrwydd.
Mae'n ddiogelach bod yr hyn 'ddifrodwn ni
Na byw yn llawen ansad trwy ddifrodi.
[*Daw MACBETH i mewn*]
Sut y mae pethau, f'arglwydd! Pam rwyt-ti
Ar dy ben dy hun, gan wneud cyfeillion
O'r dychmygion truenusaf un,
Ynghyd â'r myfyrdodau hynny
A ddylai'n wir fod wedi marw
Gyda'r rhai y maen-nhw
Yn myfyrio arnynt? Ni ddylai'r pethau
Nad oes gwella iddynt gael unrhyw sylw:
Yr hyn a wnaed, a wnaed.

MACBETH:

Anafu'r sarff a wnaethom ni, ac nid ei lladd:
Fe wnaiff hi wella eto a dod ati'i hun,
Tra bydd ein malais truan ni o hyd
Mewn peryg rhag y dannedd oedd 'na ganddi.
Ond boed i ffrâm pob dim ymollwng,
A dioddefed y ddau fyd cyn 'bydd
Inni fwyta'n bwyd mewn ofn, a chysgu
Yn nhrallod y breuddwydion enbyd hyn
Sydd yn ein hysgwyd ni bob nos:
Gwell bod gyda'r meirw'r ydym ni –
I ennill ein tangnefedd – wedi'u hanfon
I dangnefedd, na gorwedd mewn gorffwylltra
Anesmwyth yn arteithiau'r meddwl.
Mae Duncan yn ei fedd; ar ôl ysbeidiol
Dwymyn bywyd mae o yn cysgu'n dawel.
Gwnaeth brad ei eithaf: ni all na dur, na gwenwyn,
Na rhyfel cartref, byddin estron, dim
Ei gyffwrdd bellach.

YR ARGLWYDDES MACBETH:

                    Tyrd ti'n awr.
Fy arglwydd tirion, tynera d'olwg erwin;

A bydd yn hwyliog ac yn siriol heno
Ymysg dy wa'ddedigion.

MACBETH:

Fe fydda'-i, cariad; a bydd di felly hefyd.
Dal di i gofio Banquo; rho iddo fo
Anrhydedd â thafod ac â llygad:
A ninnau'n awr heb fod yn ddiogel,
Mae'n rhaid inni olchi ein hanrhydedd
Yn y ffrydiau gweniaith hyn
A gwneud ein hwynebau'n fygydau i'n calonnau,
Gan guddio yr hyn ydynt.

YR ARGLWYDDES MACBETH:

       Rhaid i ti
Roi'r gorau i hyn.

MACBETH:

O! Y mae fy meddwl i yn llawn
O ysgorpionau, f'annwyl briod.
Fe wyddost ti fod Banquo, fo a'i Fleance,
Yn dal yn fyw.

YR ARGLWYDDES MACBETH:

      Ond 'dydi hawlfraint natur
Ddim ynddyn nhw am byth.

MACBETH:

Y mae yna o hyd gysur; fe ellir
Eu gorchfygu nhw. Bydd dithau lawen.
Cyn i'r ystlum hedfan ei ehediad
Yn y clwystrau, cyn i'r chwilen esgyll-gennog
Gyda'i hymian cysglyd ganu cloch
Swrth y nos i ateb gwŷs Hecate ddu,
Fe gyflawnir gweithred a fydd
Yn enbyd o ddychrynllyd o bwysig.

YR ARGLWYDDES MACBETH:

       Be ydi'r hyn a wneir?

MACBETH:

Bydd di'n ddiniwed a heb wybod, tjwc
Anwylaf, nes iti allu cym'radwyo'r gwaith.
Tyrd, o nos sy'n dallu, rho di fwgwd

Ar lygad tyner y tosturus ddydd,
A chyda'th anweledig, waedlyd law
Dilea di a rhwyga'n ddarnau mân
Y cyfamod mawr sydd yn fy nghadw'n welw!
Mae'r golau'n t'wchu, ac mae'r frân
Yn mynd ar ei hadenydd draw i goed y brain.
Mae pethau da y dydd yn dechrau gwywo
A throi'n swrth, a gweinidogion du
Y nos yn ymysgwyd am eu sglyfaeth.
Rwyt ti'n rhyfeddu at fy ngeiriau:
Ond bydd di'n dawel; y mae pethau
Yn ddrwg ddechreuwyd, trwy ddrwg yn ymgryfhau.
Felly, da thi, tyrd gyda mi.

[*Exeunt*

Golygfa 3

[*Parc ger y llys. Daw TRI LLOFRUDD i mewn.*]

Y LLOFRUDD CYNTAF:
Ond pwy 'orchmynnodd i ti ymuno â ni?

Y TRYDYDD LLOFRUDD:
Macbeth.

YR AIL LOFRUDD:
'Does dim rhaid i ni ei amau, gan
Ei fod o'n nodi inni'n dyletswyddau
A'r hyn sy'n rhaid ei wneud yn gyfan-gwbwl gywir.

Y LLOFRUDD CYNTAF:
Yna saf di gyda ni.
Y mae'r gorllewin yn llewychu'n wan
O hyd â rhai gweddillion brith o'r dydd.
Mae'r teithiwr hwyr yn ysbarduno'n awr
Ar frys i gyrraedd tafarn yn amserol,
A dynesa'r rheini'r ydym ni'n eu disgwyl.

Y TRYDYDD LLOFRUDD:
Ust! Fe glywa'-i sŵn ceffylau.

BANQUO: [*O'r tu mewn. Heb fod yn y golwg.*]
Dowch â golau inni, ho!

YR AIL LOFRUDD:
Felly dyma fo. Y mae'r gweddill
Sydd ar restr y rheini a wahoddwyd
Yn y llys yn barod.

Y LLOFRUDD CYNTAF:
Mae'i feirch o'n mynd o gwmpas.

Y TRYDYDD LLOFRUDD:
Bron i filltir: ond mae o fel arfer –
Fel mae pawb – yn cerdded o'r fan yma
I borth y llys.

[*Daw BANQUO a FLEANCE i mewn, yn cario ffagl*]

YR AIL LOFRUDD:
Golau, golau!

Y TRYDYDD LLOFRUDD:
Fo ydi-o.

Y LLOFRUDD CYNTAF:
Sefwch yn barod.

BANQUO:
Fe fydd 'na law mawr heno.

Y LLOFRUDD CYNTAF:
Gadwch iddo ddod i lawr.

[*Y mae'r TRI LLOFRUDD yn ymosod ar BANQUO*]

BANQUO:
O, brad! Dos, Fleance annwyl, dos, dos, dos!
Fe elli di ddial. O'r dihiryn!

[*Mae'n marw. Dihanga FLEANCE.*]

Y TRYDYDD LLOFRUDD:
Pwy ddiffoddodd y golau?

Y LLOFRUDD CYNTAF:
Onid dyna 'ddylid gwneud?

Y TRYDYDD LLOFRUDD:

Un yn unig sydd i lawr; dihangodd y mab.

YR AIL LOFRUDD:

Fe goll'som ni hanner da o'n gwaith.

Y LLOFRUDD CYNTAF:

Wel, ffwrdd â ni; a dwedyd faint sydd wedi'i wneud.

[*Exeunt*

Golygfa 4

[*Y palas. Mae gwledd wedi'i pharatoi. Daw MACBETH, YR ARGLWYDDES MACBETH, ROSS, LENNOX, ARGLWYDDI, a GWEISION i mewn.*]

MACBETH:

Fe wyddoch chi i gyd eich braint; eisteddwch.
Yn gyntaf a diwethaf, croeso calon.

ARGLWYDDI:

Diolch ichi, eich Mawrhydi.

MACBETH:

Ninnau, fe ymdrown ni gyda chi
A chymryd rhan y gwestai gostyngedig.
Ein gwesteiwraig – fe gadwith hi ei lle
Ar yr orsedd, ond pan ddaw'r amser
Mwyaf addas, fe ofynnwn iddi
Eich croesawu.

YR ARGLWYDDES MACBETH:

Syr, gwna di hynny ar fy rhan
I'n cyfeillion oll: mae 'nghalon i
Yn dweud fod croeso yma i bawb.

[*Daw'r LLOFRUDD CYNTAF i mewn*]

MACBETH:

Edrycha, mae pob un yn ymateb iti
Â diolchgarwch calon. Mae'r ddwy ochor
Yn gyfartal: fe 'steddaf innau yma
Yn y canol. A mwynhewch eich hunain;
Yn y man fe yfwn ddracht o gylch y bwrdd.

[*Gan fynd at y LLOFRUDD*]
Mae gwaed ar dy wyneb di.

Y LLOFRUDD CYNTAF:

Gwaed Banquo ydi-o felly.

MACBETH:

Mae'n well iddo fo fod y tu allan i ti,
Nag ynddo fo. A wnaed i ffwrdd ag o?

Y LLOFRUDD CYNTAF:

Mae'i wddw wedi'i agor; fe wnes i hynny iddo.

MACBETH:

Ti ydi'r torrwr gyddfau gorau un,
Ond mae hwnnw wnaeth 'run peth i Fleance
Yn dda hefyd. Os ti 'wnaeth hynny,
Rwyt ti heb dy ail.

Y LLOFRUDD CYNTAF:

O syr, fwyaf ei anrhydedd, mae Fleance
Wedi diengyd.

MACBETH: [*O'r naill du*]

Mae fy ffit o arswyd yn dod eto.
Fel arall fe fyddwn i yn berffaith,
Mor gadarn â marmor, yn graig o safadwy,
Mor llydan ac mor rhydd â'r awyr o'n cwmpas:
Ond yn awr yr ydw i mewn caban,
Mewn cyfyngder, ac yn amgaeedig,
Ynghlwm wrth ofnau ac amheuon haerllug.
Ond mae Banquo yn ddiogel?

Y LLOFRUDD CYNTAF:

Ydi, f'arglwydd da: mae o'n gorffwyso'n
Ddiogel iawn mewn ffos, ac ugain o archollion
Dyfnion yn ei ben, a'r lleiaf un yn farwol.

MACBETH:

Diolch byth am hynny.
Yno y gorwedda yr hen sarff;
Mae yn y mwydyn a ddihangodd natur
A wnaiff, ymhen y rhawg, fagu gwenwyn;
Ar hyn o bryd, dim dannedd. I ffwrdd â thi.

Yfory fe gawn ni sgwrsio eto.

[*Exit y* LLOFRUDD CYNTAF

YR ARGLWYDDES MACBETH:

Fy arglwydd Frenin, 'dwyt ti ddim yn siriol.
Mae'r wledd fel gwledd sydd wedi'i phrynu
Os nad oes 'na, tra pery hi, fynych sicrhau
Ei bod hi'n cael ei rhoi â chroeso.
O ran bwyta'n unig, gwell fyddai bwyta gartref:
Oddi cartref mae seremoni'n saws
Ar fwyd; heb hynny y mae cymdeithasu
Yn beth llwm.

MACBETH:

Atgofiwr mwyn! O bydded, 'nawr, i stumog da
Weini ar yr archwaeth, a iechyd da i'r ddau!

LENNOX:

A fynnith eich Mawrhydi eistedd?

[*Daw drychiolaeth BANQUO i mewn, ac eistedd yn sedd Macbeth*]

MACBETH:

Fe fyddai gennym ni yn awr fonedd
Ein gwlad i gyd o dan un to,
Pe bai Banquo raslon yma –
Un y byddai'n well gen i
Ei gyhuddo fo o anfoesgarwch
Na phitïo'i anlwc!

ROSS:

        Y mae
Ei absenoldeb, syr, yn peri i rywun
Feio ei addewid. Da chi, Fawrhydi,
Anrhydeddwch ni â'ch cwmni
Gwir frenhinol.

MACBETH:

        Mae'r bwrdd yn llawn.

LENNOX:

Dyma le sydd wedi'i gadw, syr.

MACBETH:

Ymhle?

LENNOX:
> Yma, f'arglwydd da.
Be sy' 'na'n dychryn eich Mawrhydi?

MACBETH:
> Pwy ohonoch chi 'wnaeth hyn?

ARGLWYDDI:
> Gwneud beth, O arglwydd da?

MACBETH: [*Yn siarad gyda'r DDRYCHIOLAETH*]
> 'Elli di ddim dweud mai fi 'wnaeth hyn.
Paid byth ag ysgwyd dy gudynnau gwaedlyd
Ata' i.

ROSS:
> Wyrda, codwch, dydi ei Fawrhydi
Ddim yn dda.

YR ARGLWYDDES MACBETH:
> Eisteddwch, ffrindiau teilwng.
Mae f'arglwydd fel hyn yn fynych, ac wedi bod
O'i ienctid. Da chi, arhoswch yn eich seddau.
Dros dro mae'r ffit yn para; mewn dau chwinc
Fe fydd o'n holliach eto. Os gwnewch chi
Ddal gormod o sylw arno, fe wnewch-chi
Ei gythruddo a gwneud ei ffit yn waeth.
Bwyt'wch, heb gymryd sylw ohono.

[*Mae'n amlwg mai sgwrs ar wahân rhwng MACBETH a'r ARGLWYDDES yw'r hyn sy'n dilyn*]

> – Wyt ti yn ddyn?

MACBETH:
> Ydw, ac un eofn hefyd,
A all feiddio edrych ar yr hyn
A barai i unrhyw ddiawl arswydo.

YR ARGLWYDDES MACBETH:
> O, y fath wrhydri! Dim ond llun
O dy ofn di ydi hyn.
Y gyllell a luniwyd yn yr awyr ydi hyn,
Un 'oedd, meddet ti, yn dy arwain di
At Duncan. O! fe fyddai'r hyrddiau hyn

A'r brochi – ymhonwyr mewn cymhariaeth
Â gwir ofn – yn gweddu'n iawn
I chwedl hen wraig wrth y tân ar aeaf,
Wedi'i hawdurdodi gan ryw nain.
Cywilydd gwarth! Pam rwyt ti'n gwneud
Y stumiau yma? Wedi'r cyfan,
Edrych yr wyt ti ar ddim byd ond stôl.

MACBETH:

Da thi, edrycha acw! A gweld!
Ie, sbia! [*Wrth y DDRYCHIOLAETH*] Be ddwedi di yn awr?
Ond pa ots gen i? Os gelli di amneidio,
Llefara hefyd. Os ydi'n rhaid i'n
Hesgyrnfeydd ni a'n beddrodau yrru'n
Ôl y rheini'r ydym ni'n eu claddu,
'Fydd pob cofadail gennym ni yn ddim
Ond ceubal i farcutiaid.

> [*Exit y DDRYCHIOLAETH*

YR ARGLWYDDES MACBETH:

Wfft iti! Dad-wneud dy wrhydri di'n hollol
Mewn ffolineb?

MACBETH:

Os ydw i yn sefyll yma, fe welais i o.

YR ARGLWYDDES MACBETH:

Ffei, rhag dy gywilydd!

MACBETH:

Tywalltwyd gwaed cyn hyn, yn yr hen amserau,
Cyn i statudau gwaraidd garthu stad y byd;
Ie, ac wedi hynny hefyd, cyflawnwyd
Llofruddiaethau rhy enbyd inni eu clywed.
Yn yr amser gynt, pan dynnid yr ymennydd,
Fe fyddai farw'r dyn, a dyna derfyn arni.
Ond 'nawr y maen nhw'n codi eto,
Ag ugain ergyd farwol yn eu pennau,
Gan ein gwthio ninnau odd'ar ein stolion.
Mae hyn yn fwy rhyfeddol nag ydi
Mwrdwr felly.

YR ARGLWYDDES MACBETH:
>   Fy arglwydd teilwng,
Y mae dy ffrindiau pendefigaidd di
Yn gweld dy eisiau.

MACBETH:
Yr ydw i'n anghofio.
Peidiwch chi â synnu ata' i,
Fy ffrindiau oll tra theilwng; y mae gen i
Ryw wendid rhyfedd, nad ydi-o'n ddim i'r rheini
Sy'n fy 'nabod i. Dowch, serch i bawb
Ac iechyd! Yna fe eistedda' i.
Rhowch win i mi, a llenwi at yr ymyl.
Yr ydw i yn yfed i lawenydd
Cyffredinol y bwrdd cyfan,
[*Daw'r DDRYCHIOLAETH i mewn*]
Ac i'm cyfaill annwyl Banquo, yr ydym
Ni'n ei golli; O na bai o yma.
I bawb, ac iddo yntau, dymunwn ninnau yfed;
Iechyd da i bawb.

ARGLWYDDI:
Ein teyrngarwch, a'n gwasanaeth.

MACBETH: [*Wrth y DDRYCHIOLAETH*]
Ymaith! Dos o 'ngolwg i!
A boed i'r pridd dy guddio! Mae d'esgyrn di
Heb fêr, dy waed di'n oer; a 'does
Dim gweledigaeth yn y llygaid yna
Yr wyt ti'n rhythu gyda nhw!

YR ARGLWYDDES MACBETH:
Wyrda oll, peidiwch ag ystyried hyn
Yn ddim byd gwaeth nag arfer. Dydi o'n
Ddim byd gwahanol, ond ei fod o
Yn difetha'n hwyl ni'n awr.

MACBETH: [*Wrth y DDRYCHIOLAETH*]
Beth bynnag fentrith unrhyw ddyn,
Fe fentra' i. Tyrd ata' i fel arth
Flewog fawr, rheinoseros corniog
Neu deigr o Hyrcania; cymera di

Ba bynnag ffurf a fynni di ond hyn,
A chrynith fy nghyhyrau i ddim byth.
Neu bydd di eto'n fyw a heria fi
I anial leoedd gyda'th gleddau.
Yna os bydda' i yn crynu, galwa fi
Yn faban o enethig fach. Ymaith,
Gysgod erchyll! Y rhith disylwedd, ymaith!

[*Exit y DDRYCHIOLAETH*

A, felly! Wedi iddo fynd yr ydw-i
Eto'n ddyn. Da chi, eisteddwch bawb yn llonydd.

YR ARGLWYDDES MACBETH:

Rwyt ti wedi tarfu ar yr hwyl,
Difetha ein cwmnïaeth dda â
D'orffwylledd rhyfedd.

MACBETH:

'All y fath bethau fod,
I ddod drosom ni fel cwmwl haf,
Heb beri syndod tra arbennig inni?
Rwyt ti'n fy ngwneud i'n ddiarth i hyd yn oed
Fy natur i fy hun, pan feddylia' i
Yn awr y gelli di weld y fath
Olygon, ac eto gadw'r gwrid naturiol
Ar dy ruddiau, pan mae fy ngruddiau i
Yn welw-wyn gan ofn.

ROSS:

Fy arglwydd, pa olygon?

YR ARGLWYDDES MACBETH:

Da chi, peidiwch chi â siarad: mae'n mynd
O ddrwg i waeth. Mae unrhyw gwestiwn
Yn ei wylltio. Ar un waith, nos da'wch.
A pheidiwch â phryderu dim
Am unrhyw drefn wrth ichi fynd,
Ond ewch rhag blaen.

LENNOX:

Nos da'wch; a bydded
I'w Fawrhydi gael gwell iechyd!

YR ARGLWYDDES MACBETH:

Nos da'wch garedig ichi i gyd!

[*Exeunt yr ARGLWYDDI. Erys MACBETH a'i ARGLWYDDES ar ôl*

MACBETH:

Fe fynna waed, meddan nhw: fe fynna
Gwaed fwy o waed. Mae sôn i feini symud,
Ac i goed lefaru. Mae daroganau,
A deall cysylltiadau pethau trwy gyfryngau
Piod, ydfrain a brain coesgoch
Wedi datgelu'r adyn gwaedlyd
Mwyaf dirgel. Pa awr o'r nos yw hi?

YR ARGLWYDDES MACBETH:

Y mae hi bron yn ffrae rhyngddi hi
A'r bore, prun yw prun.

MACBETH:

               Beth ddwedi di
Oherwydd fod Macduff wedi gwrthod dod
Ar ein gorchymyn pwysig ni?

YR ARGLWYDDES MACBETH:

Anfonaist tithau ato, syr?

MACBETH:

Fe glywaf hyn ar siawns; ond fe anfonaf draw.
'Does dim un ohonyn nhw nad oes
Gen i, yn ei dŷ, was cyflog.
Yfory fe a' i, a hynny'n sydyn,
At y Chwiorydd Dreng: fe gân' nhw
Ddweud ychwaneg, gan fy mod i'n awr
Wedi camu mor bell â hyn mewn gwaed
Fel, pe bawn i ddim yn peidio â rhydio
Ynddo fo ddim pellach, fe fyddai troi
Yn ôl i mi mor flinderus ag imi
Groesi drosodd. Mae gen i bethau rhyfedd
Yn fy mhen y bydd yn rhaid eu gwneud;
A bydd hi'n rheidrwydd i'w cyflawni
Cyn eu datguddio inni.

YR ARGLWYDDES MACBETH:
Rwyt ti yn brin o'r hyn sy'n rhoddi blas
I bob naturiaeth, cwsg.

MACBETH:
                Tyrd, fe awn i gysgu.
Arswyd un yn dechrau, un heb arfer
Â gweithgareddau caled ydi fy hunan-dwyll
Rhyfeddol i. Mewn gweithredu 'dydym ni,
Hyd yn hyn, ond ifanc.

                                       [*Exeunt*

Golygfa 5

[*Rhostir y Gwrachod. Taranu. Daw'r TAIR GWRACH i mewn i gyfarfod HECATE.*]

Y WRACH GYNTAF:
Ha! Pa hwyl, Hecate! Rwyt ti
Yn edrych yn ddig.

HECATE:
On'd oes gen i reswm, wrachod hy
A haerllug iawn? Dywedwch sut y bu
Ichi feiddio, â Macbeth, ymdrin
Trwy bosau a materion cyfrin
Angau; a minnau sydd yn feistres ar eich swynion,
Dyfeisydd dirgel pob anffodion,
Heb fy ngalw i wneud fy rhan ynghyd
Â chi, i ddangos bri'n celfyddyd?
A'r hyn sy'n waeth, fe wnaethoch chi y weithred hon
Er mwyn un mab sydd yn afradlon,
Sbeitlyd, llawn cynddaredd; sydd, fel llawer un,
Nid yn eich caru chi, ond yn caru'i les ei hun.
Gwnewch iawn yn awr: i ffwrdd â chi,
Wrth ymyl ffos Acheron cwrddwch fi'n
Y bore: yno daw o ar ei rawd
I gael gwybod am ei ffawd.
Dowch â'ch llestri, dowch â'ch swynion,
Eich hud a phopeth yno'n union.

Fry i'r awyr yr a' i i ymorol
Liw nos am ddiwedd prudd a marwol.
Rhaid gwneud llawer cyn y pnawn.
Ynghrog ar gornel y lleuad lawn
Tawch sydd yno yn ddiferion mawr –
Fe ddalia'-i nhw cyn iddynt ddod i lawr:
Ac o'u distyllu, trwy fy hud,
Fe grëir ysbrydion hyd y byd,
Y rhai trwy gryfder mawr eu rhith
A'i dinistria ef am byth.
Dirmyga efô Ffawd, disbrisia dranc, a dal y daw
Ei obaith goruwch pwyll, a gras, a braw:
Fe wyddoch chi mai diogelwch hy, gormodol
Yw gelyn pennaf dynion meidrol.
[*Cerddoriaeth a chân oddi mewn. 'Tyrd gyda mi, tyrd gyda mi,' etc.*]
Ust! Ust! Fe'm gelwir i;
Mae f'Ysbryd bychan acw fry
Yn eistedd yn y cwmwl niwlog,
Yn eistedd yn fy nisgwyl i.

[*Exit*

Y WRACH GYNTAF:
Dowch, fe awn ar frys, cyn bo hir
Fe fydd hi yn ei hôl.

[*Exeunt*

Golygfa 6

[*Castell arall yn yr Alban. Daw LENNOX ac ARGLWYDD arall i mewn.*]

LENNOX:
Dydi fy areithiau i o'r blaen
Ond newydd daro eich meddyliau, a gellwch
Chi ddehongli pethau ymhellach. Hyn
Yn unig ddweda' i: fe drefnwyd pethau'n
Rhyfedd. Fe deimlai o, Macbeth, drueni
Tuag at y Brenin Duncan: ac yna,
Roedd o wedi marw. Ac fe fu
I'r gwirioneddol-wrol Banquo rodio allan

Yn rhy hwyr; ac fe allech ddweud,
Pe baech chi'n mynnu, mai Fleance wnaeth
Ei ladd, oblegid ffoi 'wnaeth Fleance.
Rhaid i ddynion beidio â rhodio'n hwyr.
Pwy all beidio ag ystyried mor enbyd
Oedd hi i Malcolm ac i Donalbain
Ladd eu tad, gŵr gwirioneddol raslon?
Gweithred ddamniol! Ac fel y gwnaeth hi wneud
Macbeth yn drist! Oni wnaeth o,
Mewn cynddaredd gyfiawn, rhag blaen, rwygo
Y ddau dramgwyddus, a oedd yn gaeth i'r ddiod
Ac yng ngafael cwsg? Ac onid gydag urddas
Y gwnaeth o hynny? Ie, a doethineb hefyd;
Oblegid byddai wedi cynddeiriogi
Calon unrhyw greadur byw i glywed
Y dynion hynny'n gwadu'r peth. Ac felly
Fe ddweda' i ei fod o wedi goddef
Pethau'n dda: ac rydw-i'n meddwl
Pe bai meibion Duncan ganddo fo
Dan glo – fel, os mynno'r nef,
Na chân' nhw fod – y bydden nhw'n darganfod
Beth oedd holl oblygiadau un oedd yn dad.
A Fleance hefyd. Ond, digon! Oherwydd,
Am ei eiriau plaen ac oherwydd
Iddo fethu bod yng ngwledd y teyrn,
Y si ydi fod Macduff yn byw
Dan warth. A syr, a ellwch chi
Ddweud ymhle y mae o?

ARGLWYDD:

                          Y mae mab Duncan –
Y mae'r teyrn hwn yn gomedd iddo'i
Enedigaeth fraint – yn byw'n y Llys yn Lloegr,
Yn cael ei dderbyn gan y cyfiawnaf Edward
Â'r fath ras nes nad ydi malais ffawd
Yn mennu dim ar ei aruchel barch.
Yno'r aeth Macduff i ymbil ar
Y Brenin duwiol, i'w gynorthwyo fo
I ddeffrói Northumberland a Siward
Ryfelgar; fel trwy help y rhain – ac Ef

Uwchben i roi sêl bendith ar y gwaith –
Fe allwn unwaith eto roi ymborth
Ar ein byrddau, ac i'n nosweithiau gwsg,
A rhyddhau ein gwleddoedd a'n gloddestau
O gyllyll gwaedlyd; talu gwrogaeth ffyddlon
A derbyn anrhydeddau rhydd,
Y pethau hynny'r ydym ni yn awr
Yn dyheu amdanynt. Ac y mae
Y newydd hwn wedi cythruddo'n Brenin
Ni, Macbeth, gymaint nes ei fod o'n paratoi
Ar gyfer rhyw fath o gynnig ar ryfel.

LENNOX:
'Anfonodd o air at Macduff?

ARGLWYDD:
                        Do, fe wnaeth:
A chyda 'Syr, nid fi', terfynol,
Fe drodd y gennad surbwch arna' i ei gefn
Gan fwmian, fel petai o'n dweud,
'Fe fyddwch chi'n difaru am y dydd
Pan feichiwyd fi â'r ateb hwn'.

LENNOX:
Fe allai hyn yn hawdd beri i'r negesydd hwn
Gymryd pwyll, a chadw pa bellter bynnag
A allith ei ddoethineb o'i ddarparu.
Boed i ryw angel sanctaidd
Hedfan i'r Llys yn Lloegr a dadlennu'i
Neges cyn iddo fo ddod yno, fel y dychwelo
Bendith ebrwydd i'n gwlad hon
Sy'n dioddef dan law sy'n felltigedig.

ARGLWYDD:
Anfona' innau fy ngweddïau gydag o.

                                             [*Exeunt*

ACT IV

Golygfa 1

[*Cynefin y Gwrachod: 'Ffos Acheron'. Taranu. Daw'r TAIR GWRACH i mewn.*]

Y WRACH GYNTAF:
Dair gwaith y mewiodd y gath frech.

YR AIL WRACH:
Dair gwaith ac un y gwichiodd o, y draenog.

Y DRYDEDD WRACH:
Cri f'Ysbryd-cynorthwyol i
Ydi, 'Mae'n bryd, mae'n bryd'.

Y WRACH GYNTAF:
O gylch y pair, ni'n tair fe gerddwn:
Gwenwyn perfedd ynddo 'daflwn.
Lyffant du, dan garreg oer
Fis a fu dan olau lloer
Yn chwysu gwenwyn trwy ei hun,
Berwa di yn gyntaf o bob un.

Y TAIR GWRACH:
Dwbwl, dwbwl, poen a thrwbwl;
Llosga dân a berwa'r cwbwl.

YR AIL WRACH:
Darn o neidr 'fu'n y fawnog
Berwa yn y pair pryfedog;
Llygad madfall a bawd llyffant,
Tafod ci, ac ystlum 'ferwant;
Colyn neidr, fforch un wiber,
Plu tylluan, lisard – doder
Hwy yma i greu hud sy'n llawn o drwbwl:
Yng nghawl y diawl y berwa'r cwbwl.

Y TAIR GWRACH:
Dwbwl, dwbwl, poen a thrwbwl;
Llosga dân a berwa'r cwbwl.

Y DRYDEDD WRACH:

    Cen y ddraig, a dant y blaidd,

    Celain gwrach, perfeddion ffiaidd,

    Siarc bwytéig o'r môr a'i fwrllwch,

    Gwreiddyn cegid 'gaed mewn twllwch,

    Afu Iddew, gablyd ryw,

    Bustl gafr, a brigau yw –

    Sgleisiwyd ar eclips y lleuad –

    A thrwyn Twrc a gwefl Tartariad,

    Bys un baban bach a dagwyd

    Gan faeden yn y ffos lle'i ganwyd,

    Gwnewch y trwyth yn dew a soeglyd

    A chwanegwch at y cyfan

    Grombil teigr yn y crochan.

Y TAIR GWRACH:

    Dwbwl, dwbwl, poen a thrwbwl;

    Llosga dân a berwa'r cwbwl.

YR AIL WRACH:

    Â gwaed babŵn yr oerir hyn

    A bydd nerth yr hud yn syn.

    [*Daw HECATE a THAIR GWRACH ARALL i mewn*]

HECATE:

    O, rhagorol! Da y gwnaethoch;

    Ysbail gewch, bob un ohonoch:

    Yn awr cenwch 'nghylch y crochan,

    Fel cythreuliaid du ac aflan,

    Gan roi melltith ar y cyfan.

    [*Cerddoriaeth a chân: 'Ysbrydion Duon' etc.*

    Exeunt HECATE a'r TAIR GWRACH ARALL]

YR AIL WRACH:

    Gwn, gan fod fy mawd i'n pigo,

    Fod peth drwg yn dyfod heibio:

        Ti, glo, agora,

        'Waeth pwy sy' 'na!

    [*Daw MACBETH i mewn*]

MACBETH:

Hai 'nawr, chi wrachod cyfrin, du a hanner nos!
Be'r ydych chi'n ei wneud?

PAWB:

Gweithred nad oes iddi enw.

MACBETH:

Rydw i yn galw arnoch chi
Wrth yr hyn yr ydych chi'n 'broffesu,
Ym mha fodd bynnag y dowch chi i wybod,
I'm hateb i. Er i chi ddatglymu'r
Gwyntoedd a'u gadael i ymrafael
Yn erbyn yr eglwysi; er i donnau
Mawr ewynnog ddifa a thraflyncu
Llongau; er i'r grawn ar dyfiant syrthio
Ac i goedydd cadarn gwympo;
Er i gestyll mawr falurio ar bennau
Eu ceidwaid, er i byramidiau
A phalasau blygu eu pennau i lawr
Hyd eu sylfeini; er i drysor bywyn
Natur ddymchwel oll yn bentwr mawr,
Hyd nes i ddistryw lwyr glafychu,
Atebwch chi ynghylch yr hyn a fynna' i.

Y WRACH GYNTAF:

Llefara.

YR AIL WRACH:

Gorchmynna di.

Y DRYDEDD WRACH:

Fe atebwn ni.

Y WRACH GYNTAF:

Dyweda, a fyddai hi yn well gen ti
Ei glywed o'n geneuau ni, neu gan ein meistri?

MACBETH:

Galwch arnynt, gadewch i mi eu gweld.

Y WRACH GYNTAF:

Tywelltwch waed yr hen hwch erchyll
Sydd wedi ysu naw o'i pherchyll;

Teflwch fraster wedi'i chwysu
Gan lofrudd ar ei grog, ac felly
Ennyn yma fflamau'r tân.

PAWB:

Oddi uchod, oddi isod, tyrd i'n gŵydd,
Dangosa di dy hun a'th swydd.

[*Taranu. Y DDRYCHIOLAETH GYNTAF: PEN ARFOG.*]

MACBETH:

Dywed imi, ti anhysbys allu –

Y WRACH GYNTAF:

Fe ŵyr dy feddwl. Clyw ei eiriau;
Paid 'llefaru heb fod eisiau.

Y DDRYCHIOLAETH GYNTAF:

Macbeth! Macbeth! Macbeth! Gochel Macduff!
Gochel di Arglwydd Ffeiff. Gad imi fynd. Digon.

[*Mae'n mynd i lawr o'r golwg*]

MACBETH:

Beth bynnag wyt ti, am dy rybudd, diolch.
Yr wyt ti wedi taro ar fy ofn
I'r dim. Ond un gair eto –

Y WRACH GYNTAF:

'Wnaiff hi ddim gwrando ar orchymyn.
Dyma un arall, mwy nerthol na'r cyntaf.

[*Taranu. YR AIL DDRYCHIOLAETH: PLENTYN GWAEDLYD.*]

YR AIL DDRYCHIOLAETH:

Macbeth! Macbeth! Macbeth!

MACBETH:

Petai gen i dair clust, fe'th glywn di.

YR AIL DDRYCHIOLAETH:

Bydd waedlyd, hy, a phenderfynol!
Chwardda di, hyd at ddirmygu, ar allu dyn:
'Wnaiff neb o wraig a anwyd, na, ddim un,
Dy niweidio di, Macbeth.

[*Mae'n mynd i lawr o'r golwg*]

MACBETH:

Felly, dal di i fyw, Macduff: pam rhaid
I mi dy ofni di? Ond eto mi wna' i
Yn ddwbwl-sicir, a mynnu gwarant ffawd.
'Chei di ddim byw; fel y galla' i
Ddweud wrth y gwangalon hwnnw, Ofn,
Ei fod o yn gelwyddog, a chysgu
Er gwaethaf pob taranu.

[*Taranu. Y DRYDEDD DDRYCHIOLAETH: PLENTYN
â CHORON AR EI BEN, a choeden yn ei law.*]

                    Be ydi hyn,
Sydd yn dyrchafu yma fel un o had
Brenhinol, a chan wisgo am ei ben
Gylch a chopa brenhiniaeth?

PAWB:

Gwranda di; a phaid â siarad.

Y DRYDEDD DDRYCHIOLAETH:

Bydd ddewr fel llew, bydd falch, heb falio
Dim am bwy sy'n digio, neu ofidio,
Nac am waith cynllwynwyr: Macbeth
Ni threchir o hyd nes y daw
Coed Birnam Fawr i fyny draw
Hyd lechwedd Dunsinane i'w erbyn o.

[*Mae'n mynd i lawr o'r golwg*]

MACBETH:

Ni all hynny ddigwydd byth, pwy all
Orfodi'r fforest, a pheri i ryw wall
Ddadwreiddio o'r pridd unrhyw bren?
Mae'r argoelion yn dda! Y meirwon
Gwrthryfelgar, peidiwch chi â chodi byth,
Nes y bydd i'r coed o Birnam
Godi; bydd i'n Macbeth o gam i gam
Mewn safle uchel dreulio hyd ei rawd
Naturiol, a thalu i amser a meidrol ffawd
Ei anadl. Eto, mae yn fy nghalon i
Gyffro i wybod un peth. Dyweda di,
Os gall dy hud fynegi cymaint: a fydd

I hiliogaeth Banquo fyth lywodraethu
Yn y deyrnas hon?

PAWB:

Paid ti â cheisio
Gwybod mwy.

MACBETH:

Fe fynna'-i wybod. Os gwrthodwch chi hyn
Fe fydd tragwyddol felltith arnoch chi! Gadwch
Imi wybod. Paham y mae'r crochan yna
Yn suddo? A pha ryw sain yw hwn?

[*Seiniau obo*]

Y WRACH GYNTAF:

Sioe!

YR AIL WRACH:

Sioe!

Y DRYDEDD WRACH:

Sioe!

PAWB:

Sioe i'w lygaid, torri'i galon;
Dowch, ac ewch chi fel cysgodion.

[*Sioe o wyth Brenin, yr olaf ohonynt gyda drych yn ei law; dilyna
BANQUO hwy.*]

MACBETH:

Rwyt ti'n rhy debyg i ddrychiolaeth Banquo.
Dos i lawr! Y mae dy goron di
Yn serio fy amrannau. Mae dy wallt,
Y talcen arall dan ei gylchyn aur,
Yn debyg iawn i'r cyntaf. Y mae'r
Trydydd fel y cyntaf. Wrachod ffiaidd!
Pam dangos hyn i mi? Pedwerydd!
Datodwch, lygaid! Beth! a wnaiff
Yr holl hiliogaeth ymestyn hyd
Ganiad utgorn y Farn? Un arall eto!
Seithfed! 'Fynna' i ddim gweld dim mwy.
Ac eto fe ddaw wythfed, a chanddo ddrych
Sy'n dangos mwy i mi; mi wela'-i rai

Yn cario pelen ddeublyg, a theyrnwialen
Driphlyg: golygfa enbyd! Yn awr fe welaf
Fod hyn i gyd yn wir; am fod y Banquo
Gwaedlyd-ei-ben yn gwenu arna' i,
Gan ddangos imi mai efô sydd biau'r
Rhain i gyd.
[*Mae'r DRYCHIOLAETHAU yn diflannu*]
        Beth, ai fel yma y mae hi?

Y WRACH GYNTAF:

Ie, syr, i gyd fel hyn.
Ond pam y saif Macbeth mor syn?
Chwiorydd, fe godwn galon ei ysbrydion
A dangos gorau'n pethau mwynion:
Fe swyna'-i'r awyr i greu sain,
Tra'r ewch chi yn gylch anghywrain,
Fel bo i'r Brenin hwn yn garedig ddweud
Inni dalu am ei groeso o, a gwneud
Yn gyfan ein dyletswydd.

[*Cerddoriaeth. Mae'r GWRACHOD yn dawnsio, ac yna'n diflannu.*]

MACBETH:

Ble maen-nhw? Wedi mynd? O boed i'r awr
Ddiffaith yma fod yn y calendr
Dan felltith fyth! Dowch yma, chi
Sydd allan yna!

[*Daw LENNOX i mewn*]

LENNOX:

Beth ydi ewyllys eich Mawrhydi?

MACBETH:

A welaist ti y Chwiorydd Dreng?

LENNOX:

Naddo, f'arglwydd.

MACBETH:

Oni ddaethon nhw heibio iti?

LENNOX:

F'arglwydd, naddo wir.

MACBETH:

Boed i'r awyr a farchogan nhw
Fod dan haint, a melltigedig bawb
A roddith iddyn nhw eu cred! Fe glywais i
Garlamu meirch. Pwy alwodd heibio?

LENNOX:

Rhyw ddau neu dri, fy arglwydd,
Sy'n dwyn y newydd fod Macduff
Wedi ffoi i Loegr.

MACBETH:

Ffoi i Loegr?

LENNOX:

Ie, f'arglwydd da.

MACBETH: [*O'r naill du*]

Amser, yr wyt ti'n rhagddisgwyl
Fy ngorchestion dreng. Ni ddelir byth
Yr amcan chwim heb weithred i fynd gydag o.
O'r foment yma fe fydd y pethau cyntaf
Yn fy mryd, yn gyntaf yn fy nwylo hefyd.
A hyd yn oed yn awr, er mwyn coroni
Fy meddyliau â gweithredoedd, yna
Os meddwl rhywbeth – ei gyflawni!
Fe gyrcha' i'n annisgwyl i gastell Macduff,
A meddiannu Ffeiff; a rhoi i fin y cleddyf
Ei wraig, ei rai bach, ac enaid pob un
Anffodus sydd yn olrhain tras i'w hil.
Dim ymffrostio fel rhyw ffŵl:
Fe gyflawna' i y weithred hon
Cyn i fy mwriad oeri. Dim mwy
O ddrychiolaethau! – Ble mae y gwyrda hyn?
Tyrd, tywysa fi i'r lle y maen nhw.

[*Exeunt*

Golygfa 2

[*Castell Macduff. Daw'r ARGLWYDDES MACDUFF, sef ei wraig, a'i FAB, a ROSS i mewn.*]

YR ARGLWYDDES MACDUFF:

Be oedd o wedi'i wneud, i beri iddo
Ffoi o'r wlad?

ROSS:

Rhaid ichi wrth amynedd, madam.

YR ARGLWYDDES MACDUFF:

Doedd ganddo fo ddim. Yr oedd ei ffoi'n wallgofrwydd.
Pan na fydd ein gweithredoedd ni ddim yn ein gwneud
Ni yn fradwyr, fe wnaiff ein hofnau hynny inni.

ROSS:

'Dydych chi ddim yn gwybod ai ei ddoethineb
Oedd hyn, neu ei ofn o.

YR ARGLWYDDES MACDUFF:

Doethineb!
Gadael ei wraig, a gadael ei rai bach,
Ei lys a'i holl feddiannau mewn lle
Y dar'u o ei hun ffoi oddi yno?
Dydi o ddim yn ein caru ni; mae'n brin
O deimlad dynol; oherwydd fe wna'r dryw
Truan, y lleiaf o'r adar i gyd, ymladd,
Os ydi'i gywion yn ei nyth, yn erbyn
Y dylluan. Ofn ydi'r cyfan, a chariad
Yn ddim byd, a'r un mor fychan ydi'r
Ddoethineb, lle mae'r ffoi mor groes
I bob rheswm.

ROSS:

Fy nghâr anwylaf, da chi, cymerwch bwyll.
Ac am eich gŵr, y mae o yn urddasol,
Doeth, synhwyrol, ac efô 'ŵyr orau
Dymherau y tymhorau. Fentra' i
Ddim dweud fawr mwy: ond creulon ydi
Yr amserau, pan ydym ni yn fradwyr,
Heb wybod hynny'n hunain; pan roddwn goel

Ar chwedlau oherwydd yr hyn yr ydym ni'n
Ei ofni, heb wybod beth a ofnwn,
Gan nofio ar fôr tymhestlog, gwyllt
A mynd bob ffordd, bob sut. Yr ydw i
Yn canu'n iach i chi. Ni fydda'-i'n hir
Cyn dod yn f'ôl drachefn. Fe beidia pethau,
Ar eu gwaethaf, fod; neu ynteu ddringo
I fyny i'r hyn 'fuon' nhw o'r blaen –
[*Wrth ei mab*]
Fy mhlentyn bach i, bendith arnat!

YR ARGLWYDDES MACDUFF:
Fe gafodd dad, ac eto un heb dad ydi o.

ROSS:
Yr ydw i yn ffŵl i gymaint graddau
Fel, pe bawn i'n aros yma'n hwy,
Fe fyddai'n warth i mi, ac i chi'n anghysur.
Yr ydw i am fynd ar unwaith.

[*Exit ROSS*

YR ARGLWYDDES MACDUFF:
          Mistar bach –
Y mae dy dad di wedi marw! A be
Wnei di yn awr? Sut yn y byd
Y gelli di fyw?

MAB:
       'Run fath â'r adar, Mam.

YR ARGLWYDDES MACDUFF:
Beth, gyda mwydod, gyda phryfed?

MAB:
Gyda'r hyn a ga' i, dyna'r ydw
I'n ei feddwl; fel y maen nhw'n gwneud.

YR ARGLWYDDES MACDUFF:
Fy neryn truan i! 'Fu gen ti
Erioed ddim ofn y rhwyd na'r glud,
Y fagl chwaith na'r trap.

MAB:

    Mam, pam y dylwn i? Ni fwriadwyd maglau
    I ddal yr adar truan. Ac ni fu farw 'Nhad,
    Er gwaetha'r hyn 'ddywedwch chi.

YR ARGLWYDDES MACDUFF:

    Ydi, y mae o wedi marw: a be
    Wnei di am dad?

MAB:

                    Na, be wnewch chi am ŵr?

YR ARGLWYDDES MACDUFF:

    Wir i ti, fe allwn i brynu
    Ugain ohonyn nhw mewn unrhyw farchnad.

MAB:

    Yna fe'u prynwch chi nhw i'w gwerthu nhw wedyn.

YR ARGLWYDDES MACDUFF:

    Rwyt ti'n siarad â'th holl synnwyr ac eto,
    Ar fy ngair, â digon o synnwyr i un bach.

MAB:

    'Oedd fy nhad i'n fradwr, Mam?

YR ARGLWYDDES MACDUFF:

    Oedd, yr oedd o.

MAB:

    Beth ydi bradwr?

YR ARGLWYDDES MACDUFF:

    Yn wir, rhywun sydd yn tyngu,
    A dweud c'lwyddau.

MAB:

    Ydi pawb sydd yn gwneud hynny'n fradwyr?

YR ARGLWYDDES MACDUFF:

    Bradwr ydi pob un sydd yn gwneud hynny,
    A rhaid eu crogi.

MAB:

    Ydi hi'n rhaid i bawb sy'n tyngu
    A dweud c'lwyddau gael eu crogi?

YR ARGLWYDDES MACDUFF:
Pob un.

MAB:
Pwy fydd ar ôl i'w crogi nhw?

YR ARGLWYDDES MACDUFF:
Wel, y dynion gonest.

MAB:
Yna mae celwyddgwn a thyngwyr yn ffyliaid;
Am fod 'na hen ddigon o gelwyddgwn a thyngwyr
I guro'r dynion gonest, a'u crogi nhw bob un.

YR ARGLWYDDES MACDUFF:
Wir, Duw a'th helpo di, y mwnci bach!
Ond sut y bydd hi arnat ti am dad?

MAB:
Pe bai o wedi marw, fe fyddech chi yn wylo ar ei ôl. Pe baech chi
ddim, fe fyddai hynny'n arwydd da y byddai gen i, a hynny'n fuan,
dad newydd.

YR ARGLWYDDES MACDUFF:
Y prebliwr druan; y fath siaradwr, wir!

[*Daw NEGESYDD i mewn*]

NEGESYDD:
Bendith arnoch-chi, arglwyddes deg!
'Dydych chi ddim yn fy 'nabod i
Er fy mod i yn gwybod yn iawn
Anrhydedd eich ystad. Mae arna'-i ofn
Fod rhyw beryg yn dynesu'n agos atoch.
Os cymerwch gyngor gan ŵr
Cyffredin ei ystad, peidiwch â chael
Eich darganfod yma; ewch oddi yma,
A'ch rhai bychain gyda chi.
Wrth eich dychryn chi fel hyn, mi dybia'-i
'Mod i yn rhy egr; ond byddai gwneuthur
Yn waeth â chi yn greulondeb ffyrnig,
Creulondeb sydd yn agos, agos atoch.
Y nefoedd a'ch gwaredo! Fiw imi aros
Yma'n hwy.

[*Exit NEGESYDD*]

YR ARGLWYDDES MACDUFF:

I ble y dylwn i ffoi?
'Wnes i ddim niwed. Ond rydw-i'n cofio'n awr
Fy mod i yma, yn y byd daearol hwn,
Lle mae peri niwed yn aml yn rhywbeth
I'w ganmol, a gwneud daioni weithiau'n
Cael ei gyfrif yn ffolineb tra pheryglus.
Pam, ynteu – O, gwae fi! – yr ydw i
Yn cynnig amddiffyniad gwraig, a dweud
Na wnes i erioed ddim niwed?
[*Daw'r LLOFRUDDION i mewn*]
Beth ydi yr wynebau hyn?

Y LLOFRUDD CYNTAF:

Ble mae dy ŵr?

YR ARGLWYDDES MACDUFF:

Gobeithio nad ydi o mewn unrhyw le
Mor halogedig ag y gelli di
Gael gafael arno fo.

Y LLOFRUDD CYNTAF:

              Y mae o'n fradwr.

MAB:

Celwydd, y cnaf â chlustiau blewog!

Y LLOFRUDD CYNTAF:

Beth, yr wy bach gwan!
[*Yn ei wanu*]
              Ti, silyn bach bradwriaeth!

MAB:

Mae o wedi'n lladd i, Mam: rhedwch o'ma,
Ewch, da chi!

[*Mae'n marw. Exit YR ARGLWYDDES MACDUFF, gan weiddi 'Mwrdwr!', a chan gael ei herlid gan y LLOFRUDDION.*]

Golygfa 3

[*Lloegr. Palas y Brenin. Daw MALCOLM a MACDUFF i mewn.*]

MALCOLM:
Gad inni chwilio am ryw gysgod anial,
Ac yno wylo ein calonnau'n wag.

MACDUFF:
Gad inni'n hytrach gydio'n dynn
Mewn cleddyf marwol, ac fel dynion da
Rychwantu tir ein genedigaeth sydd
Yn awr dan draed. Bob bore newydd
Y mae 'na weddwon newydd, ac fe wyla
Rhai amddifaid newydd, a thrawa llu
Gofidiau newydd y nefoedd yn ei hwyneb,
Fel ei bod hi'n atseinio fel pe bai
Hi'n teimlo gyda'r Alban, ac yn gweiddi allan
Sillafau cyffelyb o alar.

MALCOLM:
Yr hyn yr ydw i'n ei gredu, fe wna' i
Alaru amdano; yr hyn a wn i,
Fe greda'-i hynny; a'r hyn y galla'-i
Ei unioni – fel y gwela'-i'r amser
Yn briodol – fe wna' i hynny. Yr hyn
Y soniaist ti amdano, efallai
Ei fod felly. Y gormeswr hwn,
Y mae hyd yn oed ei enwi
Yn plistran ein tafodau, fe'i hystyrid
O un tro yn onest; fe'i ceraist ti
O'n fawr; a 'dydi o ddim eto
Wedi cyffwrdd ynot ti.
Yr ydw i yn ifanc, ond fe elli di
Efallai weld rhywbeth ohono fo
Trwof fi; a gallai fod yn ddoeth
I ti offrymu oen gwantan, truan
A diniwed er mwyn dyhuddo duw digofus.

MACDUFF:
'Dydw i ddim yn fradwrus.

MALCOLM:

Ond y mae Macbeth. Fe all natur
Dda, rinweddol ildio'r ffordd
Ar orchymyn ymerodrol. Ond rydw
I am erfyn am dy bardwn. Yr hyn wyt ti,
Ni all fy meddwl i ei drawsnewid:
Y mae'r angylion eto'n ddisglair,
Er i'r disgleiriaf syrthio. Er i bob peth
Sy'n aflan wir ddymuno gwisgo aeliau gras,
Er hynny rhaid i ras ymddangos fel
Fo ei hun.

MACDUFF:

        Fe gollais i 'ngobeithion.

MALCOLM:

Efallai yn yr un lle ag y cefais
Innau fy amheuon. Pam, yn yr egrwch hwn,
Y dar'u iti adael dy wraig a'th blentyn,
Y cymhellion annwyl hynny, y clymau
Cryfion hynny o gariad, heb ddweud ffarwél?
Da thi, paid ti â gadael i f'amheuon i
Fod yn waradwydd iti, ond bod i mi'n
Amddiffyn. Fe elli di fod yn gywir-gyfiawn
Beth bynnag a feddylia' i.

MACDUFF:

Gwaeda, gwaeda, druan wlad:
Ti ormes mawr, gosoda di dy seiliau'n
Gadarn, am na fentra'r da dy atal:
Gwisga dy gamweddau; mae dy hawl di
Wedi'i chadarnhau trwy gyfraith. Ffarwél
Iti, f'arglwydd: 'fynnwn i ddim bod
Yr adyn yr wyt ti'n meddwl fy mod i
Am y cyfan sydd yna yng nghrafangau teyrn,
Ac yn y Dwyrain helaeth ar ben hynny.

MALCOLM:

                Paid â digio:

Nid fel un sydd yn dy ofni di yn fawr
Yr ydw i'n llefaru. Meddwl yr ydw i
Fod ein gwlad ni'n suddo dan yr iau;

Y mae hi'n wylo, ac yn gwaedu,
A chyda phob dydd newydd
Chwanegir archoll eto at ei chlwyfau.
At hyn, yr ydw i yn credu
Y byddai dwylo'n codi i fyny
O fy mhlaid; ac yma, mae gen i
Gynnig, gan Frenin graslon Lloegr,
Am filoedd o wŷr da. Ond, er hyn i gyd,
Pan fydd i minnau sathru pen y teyrn,
Neu ynteu ei hongian ar fy nghledd,
Bydd gan fy ngwlad druan fach i fwy o ddrygau
Nag oedd ganddi cynt, mwy yn dioddef,
Mewn mwy o ffyrdd gwahanol nag erioed,
Trwy'r un a fydd yn dilyn.

MACDUFF:

Be ddylai hwnnw fod?

MALCOLM:
Myfi fy hun yr ydw-i'n ei olygu,
Fe wn fod ynof fi bob mathau
O ddrygioni wedi'u himpio fel
Pan fyddan nhw'n blodeuo, fe fydd hwnnw –
Macbeth ddu – i'w weld mor bur ag eira,
A'r wlad druan yn ei ystyried o
Fel oen, o'i gymharu o â'm camweddau
Llwyr ddiderfyn i.

MACDUFF:
Ni all ddod o lengoedd uffern enbyd
Un diawl mwy melltigedig ymhob drygau
I ragori ar Macbeth.

MALCOLM:
Y mae o'n waedlyd, yr ydw i'n cyfaddef,
Yn anllad, bachog, ffals, twyllodrus, egr,
Maleisus, llawn o bob rhyw bechod sydd
Ag enw iddo. Ond 'does dim gwaelod, dim,
I fy nhrachwant i: ni allai'ch gwragedd,
Merched, eich mamau na'ch gwyryfon chi,
Fyth lenwi pydew fy anlladrwydd,
A byddai 'mlys i yn goresgyn pob diwair

Ataliadau a fyddai'n groes i f'wyllys.
Gwell Macbeth nag un fel hyn yn Frenin.

MACDUFF:

Mae diffyg cymedroldeb direolaeth
Yn natur dyn yn wir ormesol; mae hynny
Wedi peri tynnu rhai o orsedd ddedwydd
Yn anamserol, a pheri cwymp i lawer Brenin.
Ond paid ti ag ofni cymryd gafael
Eto ar dy eiddo: fe elli di
Drefnu dy bleserau'n gyfrinachol
Mewn digonedd helaeth, ac eto
Gymryd arnat fod yn oer:
Fe elli dwyllo'r oes. Mae gennym ni
Ddigon o ferched ewyllysgar. 'All yna
Ddim bod ynot ti'r fath fwltur
Ag i ysu hynny o nifer a fydd yn barod
I'w cynnig eu hunain i Frenin – gan fod
Ynddyn nhw dueddiad felly.

MALCOLM:

Ynghyd â hyn, y mae 'na'n tyfu
Yn fy natur i – sydd yn eithafol ddrwg –
Y fath drachwant di-ben-draw fel,
Pe bawn i yn Frenin, y torrwn i
Ymaith yr uchelwyr am eu tir,
Chwenychu tlysau hwn a thŷ y llall:
A byddai fy mofyn-mofyn-mwy i'n saws
I wneud i mi newynu mwy,
Fel y trefnwn i gwerylon – tra anghyfiawn –
Yn erbyn y rhai da a theyrngar,
I'w dinistrio am eu cyfoeth.

MACDUFF:

       Y mae y trachwant
Yma'n glynu'n ddyfnach, yn tyfu gwreiddyn
Mwy niweidiol nag anlladrwydd heulwen-haf;
A bu hyn yn gleddyf yn erbyn ein
Brenhinoedd ni a laddwyd. Eto
Peidia di ag ofni. Mae gan yr Alban
Hen ddigon o'r hyn sydd yn eiddo i ti dy hun

I fodloni dy ewyllys. Mae'r rhain
I gyd yn oddefadwy, o'u pwyso'n
Erbyn dy rasusau eraill di.

MALCOLM:

Ond 'does gen i ddim un o'r rheini.
Y grasusau sy'n gweddu i frenhinoedd – fel cyfiawnder
A gwirionedd, cymedroldeb, sadrwydd,
Haelioni a dyfalbarhad, trugaredd,
Gostyngeiddrwydd, defosiwn, amynedd,
Dewrder a gwroldeb – 'does ynof fi
Ddim tynfa atyn nhw, ond rydw i
Yn llawn o amrywiadau ar bob math
O ddrygau, gan weithredu mewn
Amrywiol ffyrdd. Na, pe bai gen i'r
Gallu, fe dywalltwn i holl laeth
Melysaf cytgord i lawr i uffern,
Terfysgu'r heddwch cyffredinol, a drysu
Pob undod ar y ddaear.

MACDUFF:

O! 'r Alban, 'r Alban!

MALCOLM:

Os ydi un fel hyn yn ffit i lywodraethu,
Dyweda rywbeth: yr ydw i
Yn union fel y dwedais wrthyt ti.

MACDUFF:

Ffit i lywodraethu! Na, nac i fyw.
O genedl druenus, dan deyrn heb ganddo
Hawl, un gwaedlyd ei deyrnwialen.
Pryd y bydd iti eto, O wlad,
Weld dy ddyddiau iach, gan fod hiliogaeth
Mwyaf dilys dy orseddfainc di –
Yn ôl ei gyffes o ei hun –
Yn gondemniedig, ac yn cablu'i dras?
[*Troi i gyfarch MALCOLM*]
Roedd dy dad anrhydeddus di yn Frenin
Hynod sanctaidd; ac roedd y Frenhines honno
A'th ddug di i'r byd yn amlach
Ar ei gliniau nag oedd hi ar ei thraed,

Yn farw i'r byd bob dydd o'i hoes.
Ffarwél i ti! Y mae'r holl ddrygau hyn
Yr wyt ti'n mynnu eu hailadrodd yn d'erbyn
Di dy hun wedi fy alltudio i
O'r Alban. O! fy nghalon, mae dy obaith
Di, fy ngwlad, yn dod i derfyn yma!

MALCOLM:

Macduff, y mae yr angerdd tra urddasol hwn,
Sy'n blentyn i uniondeb, wedi sgubo
O fy enaid i bob amheuaeth ddu,
A chymodi fy meddyliau
Â dy wirionedd a d'anrhydedd di.
Fe geisiodd o, Macbeth ddieflig,
Trwy lawer o'r cynllwynion hyn
Fy ennill i i ddod o dan ei rym; ac y mae
Doethineb wylaidd yn rhoi plwc yn ôl
I mi rhag rhuthro'n rhy hygoelus:
Ond bydded iddo E'r goruchaf Dduw
Drin rhyngot ti a mi! Canys hyd yn oed
Yn awr yr ydw i'n fy rhoi fy hun
Dan dy gyfarwyddyd di,
Ac yn dad-ddweud y difrïo hwnnw
Arna' i fy hun a wnes i gynnau;
Ac rydw i yn gwadu yma
Y staeniau hynny, a'r beiau hynny
A osodais arna' i fy hun,
Fel pethau sy'n estron i fy natur. Rydw i,
Hyd yma, heb adnabod gwraig, heb fod
Erioed yn dwyllodrus, a phrin fy mod i
Wedi chwennych hyd yn oed fy eiddo
I fy hun; 'dydw i heb unwaith
Dorri llw, a 'fyddwn i ddim yn
Bradychu'r diawl ei hun i'w debyg,
A 'dydw i yn ymhyfrydu
Dim mymryn llai yn y gwirionedd
Nag mewn bywyd. Dyma y tro cyntaf
I mi ddweud celwydd yn fy erbyn i fy hun.
Yr hyn ydw i, go-iawn, ydi d'eiddo di
Ac eiddo fy ngwlad druan i'm gorchymyn;

Ac yno'n wir, cyn i ti ddod yma,
Roedd yr hen Siward, ynghyd â gwŷr rhyfelgar –
Ddeng mil ohonyn nhw, a'r rheini'n hollol barod –
Ar gychwyn allan. Yn awr fe awn ynghyd,
A boed i siawns daioni fod yn union
Fel ein hachos cyfiawn ni!
Paham dy fod di'n fud?

MACDUFF:
                              Mae'n anodd iawn
Cysoni pethau sy'n cael croeso
A phethau sy'n ddigroeso yr un pryd.

[*Daw MEDDYG i mewn*]

MALCOLM:
Wel, mwy am hyn ymhen y rhawg.
A ydi'r Brenin am ddod allan, dywed?

MEDDYG:
Ydi, syr. Y mae 'na yma haid
O eneidiau gwir drallodus yn disgwyl
Wrtho am iachâd. Y mae eu hanwylderau
Yn trechu ymdrech fawr meddygaeth;
Ond gydag iddo'u cyffwrdd – y fath sancteiddrwydd
A roddwyd i'w law o gan y nef fel eu bod nhw
Yn gwella'n syth.

MALCOLM:
                              Diolch iti, feddyg.

[*Exit y MEDDYG*

MACDUFF:
Beth ydi yr anhwylder a olyga?

MALCOLM:
Fe'i gelwir o yn Bla y Brenin:
Mae'n waith tra gwyrthiol yn y Brenin hwn –
Fe'i gwelais i o yn ei wella'n fynych
Yn ystod fy arhosiad yma yn Lloegr.
Sut y mae o'n erfyn ar y nef –
Efô sy'n gwybod orau: ond y mae
O'n gwella pobol a'r rheini wedi'u heintio

Yn ofnadwy, rhai sydd yn chwyddiadau drostynt
Gan gornwydydd, yn druenus iawn
I'w gweld – tu hwnt i obaith meddyginiaeth! –
Trwy glymu am eu gyddfau ddarn o aur,
A ddodir yno â gweddïau duwiol.
Ac, yn ôl y sôn, i'r rhai brenhinol hynny
A ddaw i'w etifeddiaeth fe adewith o
Y fendith dra-iachusol hon.
Ynghyd â'r rhin ryfeddol yma
Y mae ganddo allu nefol i broffwydo,
Ac mae amryw o fendithion sy'n crogi
O gylch ei orsedd sy'n cyhoeddi
Ei fod o yn llawn o ras.

[*Daw ROSS i mewn*]

MACDUFF:
Edrychwch: pwy sy' 'na yn dod yma?

MALCOLM:
Fy nghydwladwr; ond eto 'dydw i
Ddim yn ei 'nabod o.

MACDUFF:
Fy mythol-uchelwrol gâr, croeso yma.

MALCOLM:
Rydw i'n ei 'nabod o yn awr: Dduw da,
Symuda Di yn fuan y rhwystrau
Sy'n ein gwneud ni yn ddieithriaid.

ROSS:
Syr, Amen.

MACDUFF:
Ydi'r Alban fel yr oedd hi?

ROSS:
A! Druan wlad! Bron yn ofni'i 'nabod
Hi ei hun! 'Ellir mo'i galw hi
Yn fam i ni, ond bedd; lle nad oes neb
Ond hwnnw nad ydi-o'n gwybod dim
Yn gwenu o gwbwl; a lle mae ochneidiau
A griddfanau, a sgrechiadau sydd yn hollti'r awyr,

Yn digwydd, ond heb gael unrhyw sylw;
A lle mae galar enbyd yn ymddangos
Fel teimlad tra chyffredin.
Prin y gofynnir yno i bwy mae cnul y marw,
Ac mae bywydau dynion da yn darfod
Cyn y blodau yn eu capiau, yn marw
Cyn iddyn nhw glafychu.

MACDUFF:

O, mae'r stori
Yn rhy fanwl, ac eto yn rhy wir!

MALCOLM:

Be ydi'r galar diweddaraf?

ROSS:

Mae'r galar sydd yn ddim ond awr o oed
Yn peri i'r negesydd gael ei hisian.
Y mae pob munud yn rhoi bod i alar newydd.

MACDUFF:

Sut mae fy ngwraig?

ROSS:

Yn wir, yn iawn.

MACDUFF:

A'm plant i gyd?

ROSS:

Iawn hefyd.

MACDUFF:

Dydi'r teyrn ddim wedi bod
Yn malurio'u heddwch?

ROSS:

Na, yr oedden nhw mewn hedd, yn iawn
Pan adewais i nhw.

MACDUFF:

Paid ti â bod
Yn grintach dy leferydd.
Sut y mae hi arni yno?

ROSS:

Pan ddois i yma i ddweud newyddion,
A gludais i yn drist, yr oedd 'na sôn
Am lawer o wŷr teilwng a oedd wedi
Gadael eu cartrefi i godi arfau;
Yr hyn, yn fy marn i, a ardystiwyd
Yn debygol oherwydd imi
Weld byddinoedd y gormeswr
Ar eu rhawd. Yn awr ydi'r amser
I roi cymorth. Fe fyddai eich gweld chi
Yn yr Alban yn creu milwyr yno,
Yn gwneud i wragedd ymladd, i fwrw ymaith
Eu gofidiau trwm.

MALCOLM:

                 Boed yn gysur
Iddyn nhw ein bod ni yn dod yno.
Y mae Brenin graslon Lloegr wedi rhoi
Benthyg yr hen Siward inni
A deng mil o wŷr: yn ôl pob sôn
Nid oes yng ngwledydd Cred un milwr hŷn
A gwell nag o.

ROSS:

              O, na allwn i
Ateb y cysur hwn â chysur tebyg!
Ond mae gen i eiriau y dylid udo'u
Cynnwys yn awyr yr anialwch,
Lle na allai neb eu clywed.

MACDUFF:

Am beth y maen nhw? Yr achos cyffredinol?
Ynteu ai gwae arbennig ydi-o ar gyfer
Mynwes unigolyn?

ROSS:

'Does dim un meddwl gonest heb fod
Ynddo fo gyfran o ryw wae,
Er bod y rhan bwysicaf yn ymwneud
Â chi yn unig.

MACDUFF:
Os i mi y mae hyn,
Paid â'i gadw rhagof, gad i mi
Ei gael o ar frys.

ROSS:
Paid â gadael i dy glustiau ddirmygu'n
Nhafod i am byth, am roddi i'w meddiannu nhw
Y sŵn trymaf 'glywson nhw erioed.

MACDUFF:
Hm! Fe alla' i ddyfalu beth.

ROSS:
Mae dy gastell wedi ei gipio,
Dy wraig di a dy rai bach di wedi eu
Cigyddio'n giaidd. Byddai dweud am y modd
Yn ychwanegu at y lladdfa hon
O anwyliaid dy angau dithau.

MALCOLM:
Y nef drugarog!
Beth, ddyn! Paid ti byth â thynnu
Dy het i lawr am ben dy aeliau;
Rho di i alar eiriau. Mae'r tristwch
Nad ydi-o'n cael ei ddwed yn sibrwd
Wrth y galon ysig, a pheri iddi dorri.

MACDUFF:
Fy mhlant bach i hefyd?

ROSS:
Gwraig, a phlant,
Gweision, pawb y gellid taro arnynt.

MACDUFF:
Ac roedd hi'n rhaid i minnau fod oddi yno!
Lladd fy ngwraig i hefyd?

ROSS:
Fel yr ydw-i wedi dweud.

MALCOLM:

Cymer gysur. Gadwch i ni
Wneud meddyginiaeth o'n dialedd mawr
I wella'r galar marwol hwn.

MACDUFF:

'Does ganddo fo ddim plant.
Fy rhai bach del i gyd?
'Ddywedaist ti y cwbwl?
O farcud-uffern! Pawb?
Beth, pob un o 'nghywion tlysion i
Gyda'u mam ar un rhuthr enbyd?

MALCOLM:

Brwydra di yn erbyn hyn fel dyn.

MACDUFF:

Fe wna' i hynny: ond y mae'n rhaid i mi
Ei deimlo fel dyn hefyd. 'Alla' i
Wneud dim ond cofio mai pethau fel y rhain
Oedd yn fwya'u gwerth i mi.
A wnaeth y nefoedd wylio, heb fynnu
Ymyrryd ar eu rhan? Macduff
Bechadurus, fe'u lladdwyd nhw i gyd
Yn dy le di! Yn anfad fel yr ydw-i,
Nid am eu camweddau nhw eu hunain
Ond am fy nghamweddau i y daeth y lladdfa
Ar eu heneidiau nhw. Boed i'r nef
Roi gorffwys iddyn nhw yn awr!

MALCOLM:

Gad i hyn fod yn galan i hogi dy gleddyf.
Gad i alar droi yn llid; a pheidia di
Â phylu dy galon, ond cynddeirioga hi.

MACDUFF:

O, fe allwn i â'm llygaid chwarae gwraig,
A ffrostiwr gyda 'nhafod! Ond, dyner nef,
Torra di bob oedi'n fyr. Dwg di
Yr ellyll hwn o'r Alban wyneb
Yn wyneb â mi; gosoda fo
O fewn cyrraedd i fy nghleddyf i;

Os gwnaiff o ddianc, boed i'r nefoedd
Faddau iddo hefyd!

MALCOLM:
Mae'r llefaru
Yma'n wrol. Dowch, fe awn ni
At y Brenin; y mae ein byddin ni
Yn barod; 'does arnom ni
Ond eisiau canu'n iach. Y mae Macbeth
Yn aeddfed i'w ysgytian, ac y mae'r
Pwerau fry yn ymarfogi.
Cymerwch chithau hynny o gysur sydd –
Mae'r nos yn hir na ddaw hi byth o hyd i'r dydd.

[*Exeunt*

ACT V

Golygfa 1

[*Castell Macbeth. Daw MEDDYG a GWREIGDDA sy'n gydymaith i'r ARGLWYDDES MACBETH i mewn.*]

MEDDYG:

Rydw i wedi gwylio ddwy noson gyda chi, ond heb fedru canfod unrhyw wir yn eich adroddiad. Pryd ddar'u hi gerdded ddiwethaf?

GWREIGDDA:

Er pan aeth ei Fawrhydi i faes y gad, rydw i wedi'i gweld hi'n codi o'i gwely, taflu ei gŵn nos amdani, datgloi ei chist, tynnu allan bapur, ei blygu, ysgrifennu arno, ei ddarllen, ac yna'i selio, a mynd yn ôl i'w gwely; ac eto trwy gydol yr amser mewn trymgwsg.

MEDDYG:

Rhyw gynnwrf mawr mewn natur, derbyn ar yr un pryd y lles a ddaw o gysgu, a gwneud gweithredoedd rhywun effro! Yn y cyffro cysglyd hwn – ar wahân i'w cherdded a gweithredoedd go-iawn eraill – beth, ar unrhyw bryd, y clywsoch chi hi'n ei ddweud?

GWREIGDDA:

Yr hyn, syr, na wna' i mo'i adrodd ar ei hôl.

MEDDYG:

Fe ellwch wrthyf fi, ac y mae hi'n dra phriodol eich bod chi'n gwneud.

GWREIGDDA:

Ddim wrthych chi na neb arall, gan nad oes gen i dyst i gadarnhau fy ngeiriau.
[*Daw'r ARGLWYDDES MACBETH i mewn, a channwyll yn ei llaw*]
Edrychwch, dyma hi'n dod! Dyma'n union fel y mae hi ac, ar fy ngair, yn cysgu'n drwm! Gwyliwch hi; gan ymguddio.

MEDDYG:

Sut y cafodd hi'r golau yna?

GWREIGDDA:

Yn wir, yr oedd o wrth ei hymyl. Mae ganddi hi oleuni gyda hi bob amser. Dyna ydi ei gorchymyn hi.

MEDDYG:

Welwch chi, y mae ei llygaid hi'n agored.

GWREIGDDA:

Ydyn', ond mae eu gallu nhw ynghau.

MEDDYG:

Be ydi hyn mae hi'n ei wneud yn awr? Welwch chi fel y mae hi'n rhwbio'i dwylo.

GWREIGDDA:

Mae hon yn weithred arferol ganddi – fel pe bai hi'n golchi'i dwylo. Rydw i wedi ei gweld hi'n dal ati fel hyn am chwarter awr.

YR ARGLWYDDES MACBETH:

Eto, dyma staen.

MEDDYG:

Clywch! Mae hi'n siarad. Fe noda' i i lawr yr hyn 'ddywedith hi, i gadarnhau fy nghof yn well.

YR ARGLWYDDES MACBETH:

Allan, smotyn felltith! Allan, meddaf fi! Un, dau; felly y mae hi'n amser gweithredu. Mae uffern yn llawn caddug. Ffei, fy arglwydd, ffei! Yn filwr, ac yn ofnus? Pa raid sydd i ni i ofni pwy fydd yn gwybod, pan na all neb alw i gyfrif ein grym ni? Eto pwy fuasai'n meddwl fod gan yr hen ŵr gymaint o waed ynddo fo?

MEDDYG:

Ydych chi'n clywed hyn'na?

YR ARGLWYDDES MACBETH:

Yr Arglwydd Ffeiff, roedd ganddo fo wraig. Ble mae hi'n awr? Beth, a fydd y dwylo yma byth yn lân? Dim mwy o hyn'na, f'arglwydd, dim mwy o hyn'na! Fe ddifethi di y cyfan gyda'r hyrddiau hyn.

MEDDYG:

Felly, felly'n wir! Rydych chi wedi dod i wybod yr hyn na ddylech chi ddim.

GWREIGDDA:

Mae hi wedi dweud yr hyn na ddylai hi ddim, rydw i'n sicir o hynny. Y nef a ŵyr beth mae hi wedi'i wybod.

YR ARGLWYDDES MACBETH:

Dyma imi oglau gwaed o hyd. 'All yr holl beraroglau sy'n Arabia ddim pereiddio'r llaw fach hon. O, O, O!

MEDDYG:

Y fath ochenaid yna! Mae'r galon dan faich trwm.

GWREIGDDA:

'Fynnwn i ddim calon fel'na yn fy mron er urddas y corff cyfan.

MEDDYG:

Iawn, iawn, iawn.

GWREIGDDA:

Rhoed Duw mai felly fydd hi, syr.

MEDDYG:

Y mae'r haint hon tu hwnt i 'ngallu i. Eto mi wyddwn i am rai, fu'n cerdded trwy eu hun, 'fu farw'n sanctaidd yn eu gw'lâu.

YR ARGLWYDDES MACBETH:

Golcha dy ddwylo. Gwisga dy ŵn nos. Paid ag edrych mor welw! Rydw i'n dweud wrthyt ti, eto fyth, mae Banquo wedi'i gladdu. 'All o ddim dod allan o'i fedd.

MEDDYG:

Fel hyn y mae'i deall hi, ie?

YR ARGLWYDDES MACBETH:

I'r gwely, gwely! Mae 'na guro wrth y porth.
Tyrd, tyrd, tyrd, tyrd. Rho dy law i mi! Ni all yr hyn a wnaed gael ei ddad-wneud. I'r gwely, gwely, gwely!

[*Exit YR ARGLWYDDES MACBETH*

MEDDYG:

'Aiff hi i'r gwely'n awr?

GWREIGDDA:

Ar ei hunion.

MEDDYG:

Y mae sibrydion brwnt ar hyd y lle.
Mae gweithredoedd annaturiol yn magu
Trybini annaturiol. Fe fydd meddyliau
Heintus yn bwrw crawn eu cyfrinachau

I'w gobennydd byddar. Mae arni hi
Fwy o angen y diwinydd na'r ffisigwr.
Duw, Duw 'faddeuo inni i gyd!
Edrychwch ar ei hôl hi, a symudwch
Foddion pob rhyw niwed oddi wrthi,
Gan gadw golwg arni hi'n barhaus.
Felly, nos da'wch, y mae hi wedi drysu
Fy meddwl i, a synnu fy ngolygon.
Yr ydw i yn meddwl, ond feiddia' i ddim siarad.

GWREIGDDA:

Nos da'wch, feddyg da.

[*Exeunt*

Golygfa 2

[*Wrth ymyl Dunsinane. Tabyrddau a baneri. Daw MENTEITH,
CAITHNESS, ANGUS, LENNOX, a MILWYR i mewn.*]

MENTEITH:

Mae grym y Saeson 'nawr wrth law, o dan
Arweiniad Malcolm, ei ddewyrth Siward,
A'r gŵr da hwnnw Macduff. Mae dialeddau'n
Llosgi ynddyn nhw; gan y byddai eu hachosion –
Sydd mor agos at eu calonnau nhw –
Yn cyffroi dyn marw i'r alwad waedlyd
Ac ysgethrin.

ANGUS:

Wrth ymyl Coedlan Birnam fe gwrddwn ni â nhw;
Y ffordd honno maen nhw'n dod.

CAITHNESS:

'Ŵyr rhywun a ydi Donalbain yno
Gyda'i frawd?

LENNOX:

Yn sicir, syr, nac ydi.
Mae gen i restr o'r holl wyrda:
Dyna inni fab Siward, a llawer llanc
Di-farf sydd ar yr union adeg hon
Yn mynnu hawlio eu gwrhydri cyntaf.

MENTEITH:
Be mae'r gormeswr yn ei wneud?

CAITHNESS:
Mae o yn atgyfnerthu Dunsinane
Yn gadarn. Mae rhai yn dweud ei fod o'i gof;
Mae eraill, sy'n ei gasáu o rywfaint llai,
Yn galw hynny yn gynddaredd wrol:
Ond, mae'n sicir, 'all o ddim clymu bwcwl
Ar ei achos afiach tu mewn i wregys trefn.

ANGUS:
Yn awr y mae o'n teimlo ei lofruddiaethau cudd
Yn glynu yn ei ddwylo. Yn awr mae gwrthryfela
Fesul munud yn dannod iddo dorri ei addewid.
Y mae'r rheini y mae o'n eu rheoli
Yn gweithredu wrth orchymyn, nid
O gariad. Yn awr y mae o'n teimlo'i deitl
Yn hongian amdano fo yn llac, fel mantell cawr
Am leidr bach o gorrach.

MENTEITH:
                 Pwy felly a all feio
Ei synhwyrau trwblus am gilio'n ôl a dychryn,
Pan fo y cyfan sydd o'i fewn o'n ei
Gondemnio'i hun am fod yno?

CAITHNESS:
Wel, ymlaen â ni, i roi ufudd-dod
Lle mae hynny'n wir ddyledus.
Awn i gyfarfod meddyginiaeth
Y wladwriaeth glaf, a chydag o
Tywalltwn ni, i buro'n gwlad,
Bob dafn ohonom ni.

LENNOX:
Neu gymaint ag sydd raid i wlitho'r blodyn
Brenhinol a boddi yr holl chwyn.
Ymdeithiwn tua Birnam.

[Exeunt, gan orymdeithio

Golygfa 3

[*Dunsinane. O fewn castell Macbeth. Daw MACBETH, MEDDYG,*
a GWEISION i mewn.]

MACBETH:
Dim mwy o adroddiadau imi; gadwch
I'r cyfan oll ohonyn nhw ffoi!
Hyd nes y daw coed Birnam draw
I Dunsinane, ni ellir fy heintio i gan ofn.
Be ydi'r bachgen Malcolm? Oni anwyd o
O wraig? Y mae'r ysbrydion sydd yn gwybod
Pob meidrol ganlyniadau wedi datgan
Amdana' i fel hyn: 'Macbeth, paid ti ag ofni,
'All yr un dyn sydd wedi'i eni o wraig
Fyth dy niweidio di'. Arglwyddi ffals,
Ffowch, felly, a throi ymysg y Saeson glwth.
Ni wnaiff y meddwl sy'n fy rheoli i
A'r galon hon sydd ynof fi
Fyth wegian gan amheuaeth
Na chrynu chwaith gan ofnadwyaeth.
[*Daw GWAS i mewn*]
Y diawl a'th ddamnio di yn ddu, y ffŵl
Â'r wep o hufen! Lle cest ti dy olwg gŵydd?

GWAS:
Y mae deng mil –

MACBETH:
                    O wyddau, y dihiryn?

GWAS:
O filwyr, syr.

MACBETH:
Dos, cuddia di dy wep, a pheintia di
Dy ofn yn goch, y bachgen llwfr, heb iau.
Pa filwyr, glown? Tranc ar dy enaid di!
Mae'r gruddiau lliain hyn sy' gen-ti
Yn gynghorwyr da i ofn. Yr wyneb maidd,
Pa filwyr?

GWAS:
Y milwyr Seisnig, begio'ch pardwn.

MACBETH:

Dos di â dy wep ymaith.

[Exit y GWAS

Seyton! – rydw i
Yn glaf fy nghalon pan fydda' i yn gweld –
Seyton, meddaf fi! – Fe ddyrchefith
Yr argyfwng yma fi am byth,
Neu 'niorseddu'n awr. Fe fûm i fyw
Lawn digon hir. Fe gwympodd fy ffordd i
O fyw i lawr yn grin, yn ddeilen felen,
A rhaid i mi beidio â disgwyl cael
Yr hyn a ddylai ddod i ganlyn henaint,
Megis clod, a chariad, ac ufudd-dod,
A chyfeillion lu; ond, yn eu lle,
Felltithion, dwfn nid uchel, clod-y-genau,
Anadl, y byddai'r galon druan
Am eu gwrthod oll, ond heb feiddio gwneud.
Seyton!

[Daw SEYTON i mewn]

SEYTON:

Beth ydi eich ewyllys graslon?

MACBETH:

Pa newydd pellach?

SEYTON:

Fe gadarnhawyd, f'arglwydd, y cyfan a adroddwyd.

MACBETH:

Fe ymladda' i, nes bod i 'nghnawd i
Gael ei dyrchu oddi ar fy esgyrn.
Dyro imi fy arfogaeth.

SEYTON:

'Does dim eisiau hynny'n awr.

MACBETH:

Fe wisga' i fy arfau. Anfona dithau allan
Fwy o farchogion, i sgwrio'r wlad o gwmpas.
Croga'r rheini sydd yn sôn am ofn.
Dyro f'arfwisg imi. Sut mae dy glaf di,
Feddyg?

MEDDYG:

Ddim mor sâl, fy arglwydd,

Ag ydi hi o gael ei hanesmwytho

Gan rithiau 'ddaw yn drwch a'i chadw hi

Rhag gorffwys.

MACBETH:

Gwellâ di hi o hyn'na.

Oni elli di weini i feddwl afiach,

Tynnu o'r cof alar sydd wedi gwreiddio ynddo,

Dileu'r gofidiau sgrifenedig o'r ymennydd,

A chyda rhyw wrthgyffur-ebargofi pêr

Lanhau o'r fynwes lwythog lawn

Y peth peryglus hwnnw sy'n pwyso ar y galon?

MEDDYG:

Yn hyn mae'n rhaid i'r claf weini iddo'i hun.

MACBETH:

Tafla di dy ffisigwriaeth i'r cŵn,

'Fynna'-i ddim ohoni. Tyrd, dyro di

Fy arfau i amdana'-i; dyro i mi fy ffon.

[*Mae GWAS yn gwisgo ei ei arfau amdano*]

Seyton, anfon allan.

[*Wrth y MEDDYG*]

Feddyg, mae'r arglwyddi'n d'engyd

Oddi wrthyf fi.

[*Wrth y GWAS*]

Tyrd, syr, ar frys.

[*Wrth y MEDDYG*]

Pe gallet ti, o feddyg, brofi dŵr fy ngwlad,

Cael hyd i'w haint,

A'i phuro hi i gyflwr iach, cysefin,

Fe wnawn i dy foli di

Hyd nes bod yr adlais yn dy foli eilwaith.

[*Wrth y GWAS*]

Tynna hon [*Arfwisg*] i ffwrdd, meddaf.

[*Wrth y MEDDYG*]

Pa riwbob, senna, neu pa gyffur-carthu

'Wnaiff sgwrio'r Saeson hyn i ffwrdd?

'Glywaist ti am y rheini?

MEDDYG:

Do, f'arglwydd da; y mae eich darpariaethau
Brenhinol chi yn gwneud inni glywed am hynny.

MACBETH:

Tyrd â hi [*Arfwisg*] ar fy ôl i. 'Wna' i
Ddim ofni tranc na distryw
Hyd nes y daw coed Birnam draw i Dunsinane.

[*Exeunt pawb ond y MEDDYG*

MEDDYG:

Pe bawn i, o Dunsinane, ymhell a chlir
Go brin y denai elw fi drachefn i'r tir.

Golygfa 4

[*Coed Birnam. Tabyrddau a baneri. Gorymdeithia MALCOLM, SIWARD, MACDUFF, SIWARD IFANC, MENTEITH, CAITHNESS, ANGUS, a MILWYR i mewn.*]

MALCOLM:

Gyfeillion, yr ydw i'n gobeithio
Fod y dyddiau bron â chyrraedd
Pan fydd siambr pawb yn ddiogel.

MENTEITH:

'Dydym ni ddim yn dy amau di o gwbwl.

SIWARD:

Pa goed ydi hwn sydd o'n blaenau ni?

MENTEITH:

Coed Birnam.

MALCOLM:

Perwch i bob milwr dorri cangen
Iddo'i hun a'i chario hi o'i flaen.
Trwy wneud felly fe gysgodwn ni'r niferoedd
Yn ein byddin, a gwneud i unrhyw sbiwyr
Wneud camgymeriadau yn eu hadroddiadau
Amdanom ni.

MILWYR:

Fe gaiff hynny ei wneud.

SIWARD:

'Dydym ni yn clywed dim
Ond fod y teyrn hyderus yn dal
Yn Dunsinane, ac y bydd o
Yn gadael inni godi gwarchae yno
O flaen y lle.

MALCOLM:

Dyna ydi ei brif obaith o.
Oherwydd lle mae 'na fantais trwy ymadael,
Y mae'r rhai o isel ac o uchel radd
Wedi codi yn ei erbyn,
A 'does 'na neb yno yn ei wasanaethu o
Ond pethau dan orfodaeth, a'u calonnau
Hwythau hefyd yn absennol.

MACDUFF:

Gadwch i'n barnu cyfiawn ni
Ddisgwyl am y gwir achlysur,
A gadwch inni wisgo amdanom, bawb,
Filwriaeth ddiwyd.

SIWARD:

Mae'r amser yn dynesu a fydd,
Trwy benderfyniad priodol, yn y man
Yn gadael inni wybod beth
Yr ydym ni yn dweud sydd gennym ni,
A beth sydd gennym ni go-iawn.
Mae meddyliau sydd yn ddyfaliadau
Yn cyfleu eu gobaith, peth sydd yn ansicir;
Ond ag ergydion sydd yn sicir
Y pennir canlyniadau. Ac er mwyn hynny
Ymlaen â'r rhyfel.

[Exeunt, gan orymdeithio

Golygfa 5

[*Dunsinane. Oddi mewn i'r castell. Daw MACBETH, SEYTON, a MILWYR i mewn gyda thabyrddau a baneri.*]

MACBETH:

Chwifiwch ein baneri ar y muriau-allan.
Y gri o hyd ydi, 'Maen nhw yn dod!'
Fe chwardda grym ein castell ni
Bob gwarchae hyd at ddirmyg. Yma
Gad'wch nhw yn gorwedd nes bydd
I haint a newyn eu bwyta nhw yn fyw.
Pe bydden' nhw heb gael eu cyfnerthu
Gan rai a ddylai fod yn eiddo i ni
Fe allem ni fod wedi eu cyfarfod
Nhw yn wrol, farf wrth farf,
A'u curo adre'n ôl.
[*Sŵn gweiddi merched oddi mewn*]
Be ydi'r sŵn yna?

SEYTON:

Sŵn gweiddi merched, f'arglwydd da.

[*Exit*

MACBETH:

Yr ydw i wedi anghofio, bron,
Flas ofnau. Fe fu 'na amser pan fyddai
Fy synhwyrau wedi oeri drwyddynt
Wrth glywed sgrech o'r nos; a chroen
Fy mhen i, wrth imi glywed stori arswyd,
Wedi ysu a chyffroi
Fel pe bai 'na fywyd ynddo.
Yr ydw i wedi swpera'n llawn
Â dychrynfeydd. Ni all enbydrwydd,
Sydd mor gynefin i'm meddyliau
Cigyddlyd i, fy nychryn i o gwbwl.
[*Daw SEYTON i mewn*]
Beth oedd achos y gri yna?

SEYTON:

Y mae'r frenhines, f'arglwydd, wedi marw.

MACBETH:
> Fe ddylai hi fod wedi marw
> Ar ôl hyn; fe fuasai yna amser
> I air fel yna.
> Yfory, ac yfory, ac yfory
> Sy'n ymlusgo ar y cyflymdra pitw hwn
> O ddydd i ddydd, hyd sillaf olaf
> Amser cofnodedig; ac y mae ein doeau
> Ni bob un wedi g'leuo'r ffordd
> I ffyliaid hyd at angau llychlyd.
> Diffodd, diffodd gannwyll fechan!
> Nid ydi'n bywyd ni ond cysgod
> Sydd yn cerdded, actor truan
> Sy'n torsythu a gofidio ei orig
> Ar y llwyfan, na chlywir dim amdano wedyn.
> Chwedl ydi-hi a adroddir gan ynfytyn,
> Yn llawn o sŵn, yn llawn rhyferthwy:
> Yn golygu dim.
> [*Daw NEGESYDD i mewn*]
> Rwyt ti'n dod yma i wneud defnydd
> O dy dafod. Dy stori di ar fyrder.

NEGESYDD:
> Arglwydd grasol, fe ddylwn i
> Roi i chi adroddiad am yr hyn
> Yr ydw-i'n dweud a welais i,
> Ond 'wn i ddim pa fodd.

MACBETH:
> Wel, syr, dyweda.

NEGESYDD:
> Fel roeddwn i yn cadw gwyliadwriaeth
> Ar y bryn, edrychais tua Birnam
> Ac, yn y man, meddyliais i
> Fod y coed yn dechrau symud.

MACBETH:
> Y celwyddgi caeth!

NEGESYDD:
> Boed i mi ddioddef eich cynddaredd,

Os nad ydi pethau fel'ma.
Gellwch chi eu gweld, o fewn
Tair milltir draw, yn dod. Llwyn
A hwnnw'n symud, meddaf fi.

MACBETH:

Os wyt ti'n dweud celwydd, ar y pren
Nesaf fe gei di dy grogi'n fyw,
Nes i newyn dy grebachu di.
Os ydi dy adroddiad di yn wir,
Yna 'falia'-i ddim pe gwnaet tithau
Yr un peth i minnau. Y mae
Fy mhenderfyniad i yn pallu,
Ac rydw i yn dechrau amau amwys-eiriau'r
Diawl sy'n dweud celwyddau fel y gwir:
'Paid ti ag ofni, hyd nes daw
Coed Birnam draw i Dunsinane!'
A 'nawr y mae 'na goed yn dod
Tua Dunsinane. Arfau, arfau,
Ffwrdd â ni! Os ymddangosith
Yr hyn mae o'n ei ddweud, yna 'does
Dim dianc oddi yma, na thario yma chwaith.
Yr ydw i yn dechrau blino
Ar yr haul, ac yn dymuno
I gwrs y byd yn awr gael ei ddad-wneud.
Seiniwch alarwm ar gloch! Chwyth wynt,
A deued distryw! Byddwn ninnau
Farw, o leiaf, â'n harfau ar ein cefnau.

[*Exeunt*

Golygfa 6

[*Dunsinane, o flaen y castell. Tabyrddau a baneri. Daw MALCOLM,
SIWARD, MACDUFF, a'u BYDDIN, gyda changau.*]

MALCOLM:

Yn ddigon agos 'nawr. Bwriwch ymaith
Eich gorchuddiadau deiliog, a dangos
Eich hunain fel yr ydych chi go-iawn.
Cei di, fy newyrth teilwng, gyda 'nghefnder,
Dy wir urddasol fab, arwain

Ein cyrch cyntaf ni. Fe wnaiff Macduff
Deilwng a ninnau ymgymryd â
Beth bynnag arall sydd yn rhaid ei wneud,
Yn ôl ein cynllun.

SIWARD:

Da b'och chi.
Os down ni o hyd i rym y treisiwr heno,
Os na allwn frwydro
Yna bydded inni gael ein curo.

MACDUFF:

Seiniwch ein trwmpedau i gyd; a chwythwch chwithau
Nhw yn gryf; croch ragflaenwyr gwaed ac angau.

[*Exeunt. Sain alarwm*

Golygfa 7

[*Rhan arall o faes y frwydr. Sain alarwm. Daw MACBETH i mewn.*]

MACBETH:

Maen nhw wedi 'nghlymu i wrth stanc;
Alla' i ddim ffoi, ond fel rhyw arth
Rhaid imi ymladd gornest. Be ydi hwnnw
Na anwyd o o wraig? Un felly'r ydw i
I'w ofni, fo neu neb.

[*Daw SIWARD IFANC i mewn*]

SIWARD IFANC:

Be ydi d'enw di?

MACBETH:

Fe fydd gen ti ofn ei glywed.

SIWARD IFANC:

Na fydd, er iti d'alw di dy hun
Wrth boethach enw nag unrhyw un yn uffern.

MACBETH:

Macbeth: dyna ydi f'enw i.

SIWARD IFANC:

Ni allai'r diawl ei hun ynganu enw
Mwy atgas ar fy nghlust.

MACBETH:

Na'r un sy'n fwy dychrynllyd.

SIWARD IFANC:

Celwydd, y gormeswr atgas;
A chyda 'nghleddyf fe brofa' i
Y celwydd a ddywedi di.

[*Maent yn ymladd, ac fe leddir SIWARD IFANC*]

MACBETH:

O wraig 'cest ti dy eni. Ond, ar gleddyfau
Gwenu a wna' i, ac ar arfau
Chwerthin hyd at ddirmyg, os ydyn nhw
Yn cael eu chwifio gan ddyn sydd wedi
Ei eni o wraig.

[*Exit. Seinio alarwm. Daw MACDUFF i mewn.*]

MACDUFF:

Y ffordd yna y mae'r twrw. Y gormeswr,
Dangos di dy wyneb. Os lleddir di
Heb iti gael dy daro gennyf fi,
Fe ga' i fy mlino hyd byth
Gan ddrychiolaethau 'ngwraig a 'mhlant.
'Alla' i ddim taro milwyr salw,
Y talwyd iddynt am eu breichiau
I gario'u gwaywffyn. Un ai ti, Macbeth,
Neu fe weinia' i drachefn fy nghleddyf
Heb ei ddefnyddio fo, a heb dolcio'i fin.
Yna y dylet ti fod: a barnu wrth
Y twrw mawr, cyhoeddir fod 'na un
O'r pwysigrwydd mwya'n dod. Ffawd,
Gad imi ddod o hyd i hwn, ac 'erfynia' i
Am ddim byd mwy.

[*Exit. Seinia yr alarwm. Daw MALCOLM a SIWARD i mewn.*]

SIWARD:

Y ffordd yma, f'arglwydd. Y mae'r castell
Wedi ildio'n ddigon parod:

Mae gwŷr y teyrn yn ymladd ar y ddeutu;
Y mae'r arglwyddi uchelwrol yn bwrw
Iddi'n ddewr ryfeddol yn y rhyfel;
Mae'r frwydyr hon bron iawn yn nodi
I chi ei hennill hi, a 'does fawr mwy
I'w wneud.

MALCOLM:
Rydym ni wedi dod
Wyneb yn wyneb â gelynion sy'n taro
O'n plaid ni.

SIWARD:
Dos, syr, i mewn i'r castell.

[*Exeunt. Seiniau alarwm*

Golygfa 8
[*Rhan arall o'r maes, o flaen y castell. Daw MACBETH i mewn.*]

MACBETH:
Pam y dylwn i actio rhan
Rhyw ffŵl o Rufain, a marw ar fy nghleddyf
I fy hun? Tra gwela' i elynion byw,
Fe fyddan nhw dan archollion yn well.

[*Daw MACDUFF i mewn*]

MACDUFF:
Tro yma, gi Annwn, tro!

MACBETH:
Yn anad pob gŵr arall, rydw i
Wedi d'osgoi di. Ond dos yn d'ôl!
Mae f'enaid wedi'i feichio'n barod
Â gormodedd o waed dy deulu di.

MACDUFF:
'Does gen i ddim geiriau: mae fy llais i
Yn fy nghleddau, y dihiryn
Sy'n fwy gwaedlyd nag y gall
Geiriau ddweud.

[*Y maent yn ymladd. Seiniau alarwm.*]

MACBETH:

Rwyt ti yn colli grym:
Y mae hi'r un mor hawdd i ti wneud argraff
Ar yr awyr anghlwyfadwy
Â gwneud i mi waedu. Gad i dy lafn di
Gwympo ar bennau archolladwy:
Y mae fy mywyd i dan
Amddiffyn hud, ac ni all ildio byth
I un o wraig a anwyd.

MACDUFF:

Anobeithia
Am dy hud, a gad i'r 'angel'
Yr wyt ti yn dal i'w wasanaethu
Ddweud wrthyt ti: 'Fe rwygwyd, yn annhymig,
Macduff o groth ei fam'.

MACBETH:

Melltigedig fyddo'r tafod sydd
Yn dweud peth fel'ma wrthyf fi,
Am fod hyn yn codi braw ar y rhan orau
O 'ngwrhydri! Ac na rodded neb
Mwyach goel ar yr ellyllon gau
Sydd yn gwamalu â ni yn eu dull
Dauddyblyg; rhai sy'n cadw yn ein clust
Addewid, a'i thorri ar ein gobaith.
Ymladda'-i ddim â thi.

MACDUFF:

Yna ildia'r llwfrgi,
A byw i fod yn sioe a sbort ein hoes.
Fe wnawn ni dy osod di,
Fel yr angenfilod prinnaf, ar bolyn
A dy beintio, ac o dan hynny
Ysgrifennu: 'Yma gellwch weld y teyrn'.

MACBETH:

Na, ildia'-i ddim, i gusanu'r llawr
Wrth draed y Malcolm ifanc, a chael fy maetio
Gan felltithio'r boblach. Er i Goedlan
Birnam ddod i Dunsinane, a thithau'n
Fy wynebu, heb d'eni di o wraig,

Eto fe ymladda' i i'r diwedd.
O flaen fy nghorff fe dafla' i
Fy nharian ryfel. Brwydra di ymlaen, Macduff:
A damnedigaeth fydd i'r un a waeddo'n
Gyntaf, 'Peidia, dyna ddigon!'

[Exeunt yn ymladd. Seiniau alarwm. Dod yn ôl yn dal i ymladd, ac yna lleddir MACBETH.]

Golygfa 9

[Y cowrt o flaen y castell. Yn sŵn tabyrddau a chan gario baneri daw MALCOLM, SIWARD, ROSS, ARGLWYDDI, a MILWYR i mewn.]

MALCOLM:
Byddai'n dda gen i pe bai y ffrindiau
Yr ydym ni'n eu colli wedi cyrraedd
Yn ddiogel.

SIWARD:
Mae'n rhaid i rai ohonom farw; ac eto,
A barnu wrth y rhai a wela' i,
Yn rhad y prynwyd dydd mor orchestol â hwn.

MALCOLM:
Y mae Macduff ar goll, a dy fab
Urddasol dithau.

ROSS:
F'arglwydd, mae dy fab di
Wedi talu dyled milwr: 'wnaeth o
Ddim byw ond hyd nes bod yn ddyn;
A chyn gynted ag y bu i'w ddewrder
Gael ei gadarnhau yn y safle
Ddiwrthgilio lle'r ymladdodd,
Fe fu o farw fel dyn.

SIWARD:
Y mae o'n farw felly?

ROSS:
Ydi, ac fe'i dygwyd o o'r maes.
Rhaid i achos gwiw eich galar beidio